HET GESLOTEN KONINKRIJK

Carmen bin Ladin

*Het
gesloten
koninkrijk*

MOURIA

Opmerking: Alle gebeurtenissen in dit boek hebben plaatsgevonden zoals ik ze heb beschreven. Wel heb ik, op hun verzoek, de namen gewijzigd van twee erg goede vrienden, Latifa en Turki, en ook de naam van Latifa's vader, prins Mansur.

Eerste druk september 2003
Tweede druk oktober 2003

© 2003 Carmen bin Ladin
© 2003 Nederlandse vertaling: uitgeverij Mouria, Amsterdam
Oorspronkelijke titel: *The Opaque Kingdom*
Vertaling: Hans van den Broek
Boekverzorging: Asterisk★, Amsterdam en Text & Image, Utrecht
Omslagfotografie: Fine Pic, München
Omslagontwerp: Rudy Vrooman
Fotografie binnenwerk: uit het privé-album van de auteur

ISBN 90 458 4971 2
NUR 402

Voor mijn dochters Wafah, Najia en Noor,
en voor mijn moeder

Inhoud

Woord vooraf

Lieve Wafah, Najia en Noor,

Met veel plezier en verwachting – en ook enige ongerustheid – begin ik aan de taak van het schrijven van mijn levensverhaal. Dit boek is voor jullie. Natuurlijk hebben jullie al een aantal van mijn verhalen gehoord en zijn jullie je vaag bewust van het leven in Saoedi-Arabië, maar ik hoop dat jullie hierdoor dat deel van jullie achtergrond kunnen begrijpen dat jullie, Wafah en Najia, helemaal zijn vergeten en dat jij, Noor, nooit hebt gekend. In de loop der jaren zag ik jullie opgroeien tot prachtige mensen en ik kreeg het gevoel dat een beeld van mijn persoonlijke ervaringen in Saoedi-Arabië jullie ook een beter begrip zou geven van de moeilijke tijden die jullie moesten doorstaan sinds we het land verlaten hebben.

Jullie weten dat ik er volkomen van overtuigd ben dat vrijheid van denken en meningsuiting het meest waardevolle geschenk is. Ik wil dat jullie die vrijheid nooit als vanzelfsprekend beschouwen. Ik wil opnieuw bevestigen wat jullie al weten: materiële rijkdom mag dan prettig zijn, hij is zinloos als hij zich in een gouden kooi bevindt – vooral als je als vrouw niet kunt doen wat je wilt, of niet kunt zijn wie je wilt zijn.

Hoewel ik om voor de hand liggende redenen de laatste jaren niet naar Saoedi-Arabië ben teruggegaan, blijf ik de gebeurtenissen daar met mijn vrienden in het koninkrijk bespreken. Ik zie dat er in hun leven geen ontwikkeling heeft plaatsgehad. Diep in mijn hart ben ik ervan overtuigd dat ik juist handelde toen ik de banden met het land verbrak. Het enige waarvan ik spijt heb, en altijd zal hebben, is de emotionele prijs die jullie hebben moeten betalen. Ik hoop dat het een troost is voor jullie dat ik me vereerd en bevoorrecht voel jullie moeder te zijn. Ik weet dat ik zonder jullie nooit zo sterk zou kunnen zijn: jullie zijn de bron van mijn moed, mijn kracht, mijn wil.

Bovenal wil ik dat jullie weten dat alle stappen die ik heb gezet – of ze nu goed waren of slecht – voortkwamen uit mijn liefde voor jullie. Bedankt voor wat jullie me hebben gegeven door jezelf te zijn. Door te zijn.

11 september

11 september 2001 was een van de meest tragische data van onze tijd. Die dag verloren duizenden onschuldige mensen het leven. Vele duizenden meer bleven geschokt achter. Op 11 september werd het Westen beroofd van zijn gevoel van vrijheid en veiligheid. Voor mij was het een nachtmerrie van verdriet en afschuw – een nachtmerrie die mij en mijn drie dochters voor de rest van ons leven tot gevangenen heeft gemaakt.

Toch begon 11 september als een heerlijke nazomerdag. Ik genoot van een ontspannen autoritje van Lausanne naar Genève met mijn oudste dochter Wafah, toen een vriend uit New York me belde op mijn mobiele telefoon.

'Er is zojuist iets afgrijselijks gebeurd,' vertelde hij mij vanuit zijn kantoor dat zich slechts op een paar blokken van de aanslag bevond. Zijn stem klonk dringend. 'Het is ongelooflijk – een vliegtuig is tegen een van de torens van het World Trade Center gevlogen.' En toen begon hij te schreeuwen: 'Wacht eens even… er is nog een vliegtuig… het vliegt recht op de tweede toren af. O mijn god,' en nu gilde hij, 'het vliegt zo de tweede toren in!'

Toen hij schreeuwend de tweede klap omschreef, knapte er iets in mij. Dit was niet zomaar een uitzonderlijk ongeluk. Dit moest een opzettelijk geplande aanslag zijn op een land waarvan ik altijd heb gehouden en dat ik zag als mijn tweede thuis.

Ik verstijfde. Vervolgens werd ik overspoeld door golven van afschuw toen ik besefte dat de schaduw van mijn zwager hierboven zweefde: Osama bin Ladin.

Naast me in de auto schreeuwde mijn dochter Wafah. 'Wat? Wat is er gebeurd?' Ik was verbijsterd. Het lukte me nog net een paar woorden uit te brengen. Wafah woonde in New York. Ze was net afgestudeerd aan de rechtenfaculteit van de Columbia University en had de zomer met mij in Zwitserland doorgebracht. Ze was van plan over vier dagen terug te gaan naar haar New Yorkse appartement. Nu was ze in tranen, panisch drukte ze op de toetsen van haar mobiele telefoon in een poging al haar vrienden te bereiken.

De eerste gedachte die instinctief bij me opkwam was om mijn beste vriendin, Mary Martha in Californië, te bellen. Ik moest haar stem horen. Ze had al over de dubbele aanslag in New York gehoord, en ze vertelde mij dat een derde vliegtuig zojuist het Pentagon had geraakt.

De wereld tolde als een razende om zijn as: ik kon het voelen.

Ik racete naar de middelbare school van mijn jongste dochter Noor. Haar geschokte blik vertelde me dat ze het al wist. Al het bloed was uit haar gezicht getrokken. Vervolgens scheurden we naar huis om mijn middelste dochter, Najia, op te vangen als ze terugkwam van college. Ook zij was er kapot van. Net als vele miljoenen andere mensen waar ook ter wereld keken de kinderen en ik als verlamd naar CNN, terwijl we afwisselend huilden en alle bekenden probeerden te bellen.

Naarmate de uren verstreken werd mijn ergste angst bewaarheid. Het gezicht en de naam van één man verschenen op elke nieuwsuitzending: Osama bin Ladin. De oom van mijn dochters. Een man met wie ze de naam deelden, maar die ze nooit hadden ontmoet, en wiens waarden hun totaal vreemd waren. Ik kreeg een angstig gevoel van naderend onheil. Deze dag zou ons hele leven voorgoed veranderen.

Osama bin Ladin is een jongere broer van mijn man, Yeslam. Hij is een van zijn vele broers, en toen ik in Saoedi-Arabië woonde kende ik hem slechts vaag. In die tijd was Osama een jonge man, maar hij was wel al een autoritaire verschijning. Osama was lang en streng, en zijn fanatieke vroomheid intimideerde zelfs de meer religieuze leden van zijn familie.

In de jaren dat ik bij de familie Bin Ladin in Saoedi-Arabië woonde, stond Osama voor alles wat me in dat ondoorgrondelijke en wrede land tegenstond: het starre dogma dat onze levens regeerde, de arrogantie en trots van de Saoedi's en hun gebrek aan tolerantie voor mensen die hun overtuiging niet deelden. Die verachting voor buitenstaanders en die onbuigzame orthodoxie spoorden mij aan tot een strijd om mijn kinderen een leven te geven in de vrije wereld. Een strijd die veertien jaar zou duren.

In het gevecht om onze banden met Saoedi-Arabië te verbreken begon ik informatie te vergaren over de familie van mijn man, de Bin Ladins. Ik zag hoe Osama almaar machtiger en beruchter werd, en dat zijn moordzuchtige woede tegen de Verenigde Staten vanuit zijn schuilplaats in Afghanistan steeds heftiger werd.

Osama was een krijgsheer die de Afghaanse rebellen steunde in hun strijd tegen de Russische bezetting van hun land. Toen de Russen uit Afghanistan vertrokken, keerde Osama terug naar huis, naar Saoedi-Arabië. Voor veel mensen was hij toen al een held.

Toen Irak in 1990 Koeweit binnenviel, was Osama hevig verontwaardigd over het idee dat Amerikaanse strijdkrachten Saoedi-Arabië als basis zouden kunnen gebruiken. Hij bood de Saoedische koning Fahd aan om zijn Afghaanse soldaten tegen Saddam Hoessein in te zetten. Sommige meer religieuze prinsen zagen wel iets in Osama's ideeën, maar koning Fahd weigerde.

Osama begon toen opruiende verklaringen af te leggen over de corruptie en het morele faillissement van de heersende familie in Saoedi-Arabië en over de Amerikanen die deze familie verdedigden. Uiteindelijk werd Osama gedwongen zijn land te verlaten. Hij zocht zijn toevlucht in Soedan, waar hij een kamp had, omringd door zijn eigen gewapende troepen en tanks. Later ging hij weer terug naar Afghanistan.

Mijn man Yeslam en ik leefden toen al gescheiden maar we spraken elkaar nog wel. Hij hield me op de hoogte van de gebeurtenissen in Saoedi-Arabië en binnen de familie Bin Ladin, inclusief Osama's verblijfplaats. Yeslam vertelde me dat Osama's macht toenam, ondanks zijn verbanning. Naar zijn zeggen stond Osama onder de bescherming van de conservatieve, uiterst gerespecteerde prins Abdallah, het hoofd van de Saoedi-Arabische Nationale Garde en kroonprins van het Saoedische koninkrijk.

Toen in 1996 een vrachtwagenbom de Khobar-torens opblies – de verblijfplaats van de Amerikaanse troepen die in Dahran in oostelijk Saoedi-Arabië waren gestationeerd – werd Osama genoemd als mogelijke dader. Ik was verbijsterd, maar ik wist dat het wel eens waar kon zijn. Wie anders zou genoeg explosieven kunnen vinden, en gebruiken, in een land dat onder zo grote controle stond? Osama was een strijder, een fanaat, en de zoon van de familie die gezamenlijk de Bin Ladin Corporation bezat, het rijkste en machtigste bouwbedrijf in Saoedi-Arabië. Ik kende Osama's uiterst extreme denkbeelden, en in mijn hart voelde ik dat hij in staat was tot gruwelijke, blinde gewelddaden.

Aanval op aanval volgde, en ik las alles over Osama waarop ik de hand kon leggen. Toen op 9 september 2001 het nieuws bekend werd van de aanslag op de Afghaanse strijder Ahmed Sjah Massoud, realiseerde ik me dat dat het werk van Osama moest zijn. 'Dit is het werk van Osama. Hij bereidt zich voor op iets écht afschuwelijks,' zei ik tegen een vriend. 'Ach Carmen,' zei deze spottend, 'je bent geobsedeerd.' Maar ik wist wel beter.

Ik zou willen dat ik geen gelijk had gekregen.

Het is nooit bij me opgekomen dat Osama een aanval op het hart van New York aan het plannen was. Ik dacht eerder aan een ambassade of iets dergelijks – dat zou al erg genoeg zijn geweest. Maar amper twee dagen na de moord op Massoud stortte het World Trade Center in, en ik kreeg het weer, dat huiveringwekkende gevoel in mijn maag. De angst.

Ik weet nu dat dat nooit meer weg zal gaan.

In de dagen na de aanval op het World Trade Center draaide ons leven om de nieuwsuitzendingen op televisie. Het aantal slachtoffers bleef stijgen terwijl de stofwolken langzaam begonnen neer te dalen op de straten van de favoriete stad van mijn kinderen. We keken naar mensen die op zoek waren naar vermisten, oude kiekjes vastgeklemd in hun handen. Diepbedroefde mensen die voor de camera vertelden over de berichten die hun geliefden op het antwoordapparaat achtergelaten hadden voor ze stierven. De afschuwelijke foto's van mensen die uit de gebouwen sprongen. Ik bleef maar denken: *Wat als Wafah daar was geweest?* Ik had zo vreselijk te doen met die moeders, met die kinderen.

Mijn drie kinderen waren radeloos van verdriet en verbijstering. Noor, die net het jaar ervoor uit South Carolina was thuisgekomen met een Amerikaanse vlag om op haar slaapkamer op te hangen, was diep wanhopig. Ze snikte: 'Mam, New York zal nooit meer hetzelfde zijn.' Gelukkig is zij nooit het doelwit geworden van vijandig gedrag in haar klas: haar pro-Amerikaanse *cheer-leading* was al jaren aanleiding voor vriendschappelijk geplaag, dus haar vrienden wisten maar al te goed hoe diep Noor hierdoor geraakt was.

We gingen het huis nog maar zelden uit. Journalisten belden ons voortdurend op: ik was de enige Bin Ladin in Europa die in het telefoonboek stond. Vrienden belden op, hun stemmen klonken geforceerd. Vervolgens hielden ze op met bellen. In hoog tempo werden we personae non gratae. De naam Bin Ladin schrok zelfs de meest doorgewinterde professionals af. Een nieuw advocatenkantoor weigerde mijn scheidingszaak te behartigen. Opeens zat ik zonder advocaat.

Najia was het meest van ons allen betrokken bij het lijden van de slachtoffers van het WTC. Ze kon het meestal niet opbrengen om naar de televisie te kijken. Haar naam was publiek domein geworden, wat moeilijk te verdragen is voor iemand die zo gereserveerd is. Najia is misschien wel de meest teruggetrokkene van mijn kinderen. Ze uit haar emoties niet makkelijk, maar ik kon zien dat ze aangeslagen was.

De vreselijke ironie was dat wij ons vereenzelvigden en treurden met de slachtoffers, terwijl de buitenwereld ons als agressors zag. We zaten verstrikt in een kafkaëske situatie – vooral Wafah. Na vier jaar rechtenstudie lag Wafah's leven in New York. Haar appartement lag maar een paar blokken bij het WTC vandaan. Ze praatte dag en nacht over haar vrienden daar; haar gevoel zei haar dat ze in New York moest zijn en eigenlijk wilde ze er meteen heen vliegen.

Toen meldde een krant dat Wafah was getipt: ze was, aldus de krant, New York slechts een paar dagen voor de aanslag ontvlucht. Dit was niet waar: Wafah was sinds juni bij mij in Zwitserland. Andere kranten namen het bericht over. Ze zeiden dat Wafah voorkennis van de aanslag had gehad en dat ze niets had gedaan om de mensen te beschermen.

Een vriendin die in Wafah's New Yorkse appartement verbleef, belde op: zij had al bedreigingen met de dood ontvangen. Dat was een begrijpelijke reactie – hoe zou een buitenstaander de ene Bin Ladin van een andere kunnen onderscheiden?

Ik voelde dat ik geen keus had. Ik stond er alleen voor om mijn dochters te beschermen. Ik gaf een verklaring uit waarin ik stelde dat mijn drie dochters en ik helemaal niets te maken hadden met die snode, barbaarse aanval op Amerika. We hielden van dat land en we bewonderden en deelden de waarden. Ik kwam op televisie. Ik schreef verklaringen naar de kranten waarin ik ons verdriet uitte. Mijn lange strijd om mezelf en mijn kinderen te bevrijden van Saoedi-Arabië was het enige bewijs dat ik kon aanvoeren van onze onschuld; dat, en onze goede bedoelingen en de pijn die we voelden voor Osama's slachtoffers.

Ik had zo lang gehunkerd naar het einde van mijn verbitterde strijd tegen de Bin Ladins en hun land. Nu stond ik voor een hele nieuwe strijd. Ik moest mijn kinderen beschermen tegen het leed dat ze voelden omdat hun naam synoniem werd met kwaad, schande en dood.

Mijn persoonlijke leven was een publiek verhaal geworden.

Ironisch genoeg kregen de mensen uit mijn omgeving pas na 11 september begrip voor mijn strijd van veertien jaar om ons te bevrijden van Saoedi-Arabië. Ik denk dat daarvoor niemand écht begreep wat er op het spel stond – de rechtbanken niet, de rechter niet, mijn vrienden niet. Zelfs in mijn eigen land, Zwitserland, werd ik gezien als zo'n vrouw die was verwikkeld in een nare internationale scheiding.

Ikzelf heb altijd geweten dat mijn strijd veel dieper ging dan dat. Ik vocht om los te komen van een van de machtigste samenlevingen en bekendste families ter wereld, om mijn dochters te redden van een genadeloze cultuur die ze hun meest elementaire rechten ontzegde. In Saoedi-Arabië zouden ze niet eens alleen over straat mogen lopen, laat staan hun eigen levensweg kiezen. Ik heb gevochten om ze te bevrijden van de keiharde fundamentalistische waarden van de Saoedi-Arabische samenleving en haar minachting voor de tolerantie en vrijheid van het Westen, waar ik juist grotere waardering voor heb gekregen.

Ik vrees dat het Westen Saoedi-Arabië en zijn systeem van starre normen en waarden nog steeds niet volledig begrijpt. Ik heb er negen jaar gewoond, binnen de machtige Bin Ladin-clan, met zijn hechte en complexe banden met de koninklijke familie. Mijn dochters gingen naar Saoedische scholen. Ik leefde grotendeels het leven van een Saoedische vrouw. En in de loop der tijd ontdekte en analyseerde ik de mechanismen van die ondoorgrondelijke samenleving en de wrede en bittere regels die zij haar dochters oplegt.

Ik kon niet rustig blijven toekijken terwijl het heldere verstand van mijn kleine meisjes werd verstikt. Ik kon mijn dochters niet leren zich te onderwerpen aan de waarden van Saoedi-Arabië. Ik kon niet toekijken terwijl ze gebrandmerkt werden als oproerkraaiers vanwege de westerse normen en waarden die ik ze had bijgebracht – met alle straffen die daaruit zouden kunnen voortvloeien. En als ze zich zouden voegen naar de Saoedische samenleving, zou ik niet tegen het vooruitzicht kunnen dat ze zouden opgroeien tot de gezichtloze, zwijgende vrouwen onder wie ik leefde.

Maar vooral kon ik niet werkeloos toezien dat mijn dochters niet zouden krijgen wat ik zelf het meest waardeer: de vrijheid van keuze. Ik moest ze bevrijden, en mezelf. Dat zou mijn geschenk aan mijn kinderen zijn.

Dit is mijn verhaal.

1 Een geheime tuin

E r hing een gevoel van zorgeloosheid in de lucht in het jaar dat ik mijn man Yeslam leerde kennen. Het was 1973, en jonge mensen hadden de wereld in handen. De middelbare school lag inmiddels een paar jaar achter me. Ik was sociaal en prettig in de omgang. Toch voelde ik me die zomer een beetje verloren omdat ik zoekende was in welke richting mijn leven verder moest. Ik was geïnteresseerd in rechten want ik wilde de rechtelozen verdedigen. Ik wilde ook reizen en avonturen beleven. Mijn moeder, afkomstig uit een aristocratische Perzische familie, had echter andere plannen met mij: ze was vastbesloten dat ik eerst en vooral veilig zou trouwen.

In mijn moeders huis net buiten Genève gingen mijn drie zussen en ik vaak samen naar een van onze slaapkamers om te luisteren naar lp's van de Beatles en om te praten over onze toekomst. Ik was de oudste; ik praatte het meest. In die tijd hield ik altijd vol dat ik nooit met iemand uit het Midden-Oosten zou trouwen, wat mijn moeder wel graag wilde. Het vrijere leven van de Amerikanen, die ik als klein meisje had gezien op de Amerikaanse Club in de buurt van het huis van mijn oudtante in Iran, trok mij veel meer. Hun leven leek spannend, modern − vrij. Ze reden in jeeps, droegen spijkerbroeken en aten hamburgers, terwijl mensen uit het Midden-Oosten een leven leidden dat erg afgesloten leek, belemmerd door al die lagen van traditie en geheimzinnigheid, waar schijn belangrijker leek dan verlangens.

Ik was Zwitserse, geboren in Lausanne, dochter van een Zwitserse vader en een Perzische moeder. Mijn moeders familie, de Sheibany's, was verfijnd en aristocratisch. Toen ik klein was nam mijn moeder ons bijna elk jaar mee naar Iran voor een lange vakantie. Ik was gek op Iran. Het scherpe eten, zo subtiel en aromatisch. Mijn grootmoeders tuin met die hoge muren met daarbinnen wat wel hectaren vol rozen leken die werden onderhouden door onzichtbare tuinmannen. Het voorname oude huis waar mijn moeder was opgegroeid, met zijn stoomruimte met blauwe tegels, schemerig door de dampen, de enorme bibliotheek met oude boeken, de houten luiken, de rijkgeschakeerde tapijten en het mooie antiek.

Toen ik kind was, dacht ik dat Iran een speciaal land was – rijk aan kleuren en dramatiek. Ik voelde me altijd geweldig tijdens de maanden die we er doorbrachten. Mijn grootmoeder behandelde me als een prinsesje. Ik adoreerde haar en ik wist dat zij mij adoreerde.

Het huis van mijn grootmoeder had een zwembad en mijn vader dook daar meestal vanaf de bovenverdieping rechtstreeks in, terwijl wij gilletjes van afgrijzen en verrukking slaakten. Op een dag viel mijn zusje Béatrice, een peuter nog, in het zwembad. Mijn moeder, uitgedost in een fijn afgewerkte roze zijden jurk met een smalle taille en een wijde rok, sprong erin om haar te redden. Haar rok zwol enorm, als een parachute. Tot op de dag van vandaag zie ik mijn moeder uit het water opduiken met mijn zusje in haar armen, volledig gekleed, haar jurk kletsnat, maar niettemin nog steeds onberispelijk.

Toen ik een jaar of zeven, acht was, gaf mijn moeder een

feest in mijn grootmoeders huis in Iran. De kamers waren vol vrienden met wie ze was opgegroeid: bekende schrijvers en intellectuelen van oude families, aristocraten, die net als mijn grootmoeder hun neus ophaalden voor die snobistische sjah. Hun discussies gingen me ver boven de pet, maar de sfeer was er een van opwinding. Toen het tijd werd om naar bed te gaan, weigerde ik botweg.

'Papa komt eraan,' bleef ik zeggen, hoewel mijn moeder me herhaaldelijk had verteld dat hij hard aan het werk was in Zwitserland. Die avond stelde ik mijn moeders geduld zwaar op de proef. Net toen ik op het punt stond op te geven en naar bed te gaan, kwam mijn lieve vader het huis binnen lopen. Hij had niet van tevoren gebeld: hij had impulsief het vliegtuig genomen. Ik was verrukt en, op een ondeugende manier, triomfantelijk.

Mijn grootmoeder besefte dat ik écht op geen enkele manier van tevoren kon hebben geweten dat mijn vader zou komen. Ze boog over me heen en hield me op een armlengte afstand terwijl ze in mijn ogen keek. 'Carmen,' zei ze, 'je bent een heel speciaal iemand. Vergeet dat nooit.'

Elk kind zou zich hetzelfde hebben gevoeld als ik die nacht.

Ik was een nieuwsgierig meisje, en net als veel andere kinderen kon ik het belang van gesprekken van volwassenen aanvoelen, zelfs als ik helemaal niets begreep van de details. Ik vond het heerlijk om mee te luisteren bij politieke discussies. Voorzover ik mij kan herinneren heb ik mijn hele leven geprobeerd de dingen om mij heen te analyseren. Toen ik ongeveer zeven was, ontstond er grote opschudding bij mijn grootmoeder thuis. Een neef van mijn moeder, Abbas, was gearresteerd en gemarteld door de SAVAK, de geduchte geheime politie van de sjah. Hij zou lid zijn van de communistische partij Tudeh.

Diezelfde zomer was een liedje genaamd 'Marabebous' de grote hit. Het gaat over een man die ter dood veroordeeld is en die zijn dochter vraagt hem voor de laatste keer een kus te geven. Ondanks dat ik er heel verdrietig van werd zette ik dat liedje telkens weer op: ik wilde weten waarom die man moest sterven. Ik vroeg me af of mijn moeders neef ook moest sterven. Wat had hij misdaan? Volgens mij besefte ik toen voor het eerst dat iemand vanwege zijn overtuiging ter dood kon worden gebracht.

Iran was zoiets als mijn geheime tuin, iets dat mij anders maakte dan de andere Zwitserse meisjes op onze plaatselijke school net buiten Lausanne. Toen ik negen was, verbrak mijn moeder plotseling alle banden met Iran. Mijn vader had haar verlaten. Ze wilde dat echter niet toegeven, want als ze bevestigde dat haar huwelijk was mislukt, dan zou ze gezichtsverlies lijden bij haar familie. In plaats van de waarheid te vertellen, ging ze dus elk contact met haar eigen familie uit de weg.

Mijn moeder heeft zelfs ons, haar vier dochters, lange tijd niet verteld dat zij en mijn vader gingen scheiden. Ze vertelde ons altijd dat hij weg was, op zakenreis. Mijn gevoel zei me wat anders, maar zo was mijn moeder: als er iets onaangenaams is, loop je eromheen; je verloochent en onderdrukt het, want als je er nooit over spreekt, bestaat het niet. Geen gezichtsverlies lijden stond voorop.

Nadat mijn vader ons had verlaten, voedde mijn moeder ons op met de hulp van een gouvernante. Jarenlang heb ik geen contact met mijn vader gehad, en niemand legde ooit uit waarom. Zo leerde ik om geen vragen te stellen. Zo realiseerde ik me al vroeg dat ik tussen twee culturen moest leven, gevangen tussen het Iran dat mijn moeders strikte gedragsregels had bepaald en de plaatselijke Zwitserse school waar ik op zat. Thuis was een vreemde, stille plek waar alles wat belangrijk was, werd stilgezwegen.

Mijn moeder was een geboren moslim, omdat haar vader moslim was, en je in de islam het geloof van je vader overneemt. Zij trok zich er echter niet veel van aan. Ik heb haar een paar keer zien bidden, maar niet in de zin van buigen en knielen in de richting van Mekka. Als ze wilde bidden kon ze net zo gemakkelijk een kerk binnenstappen als een moskee. Ze vastte niet tijdens de ramadan, evenmin droeg ze een hoofddoek. Mijn grootmoeder zag ik af en toe met een sluier, als ze schapen had laten slachten en die als aalmoes liet verdelen onder de armen. Als je uit het Midden-Oosten kwam, leek het vanzelfsprekend dat je moslim was. Maar mijn moeder liet zich niet dwingen, al helemaal niet tot enige vorm van onderwerping.

Mijn moeders aristocratische gevoel voor fatsoen legde wel beperkingen op aan ons leven als normale Zwitserse meisjes. Er was geen sprake van ruwe spelletjes of gekreukelde kleren, nachtelijke feestjes of afspraakjes. (Zoals alle tieners, leerden ook wij om die regels te ontduiken: we waren geen engeltjes. Ze sloot ons nooit op.) Hoewel het voor haar belangrijk was dat we bleven studeren, was het huwelijk haar uiteindelijke doel voor ons.

Mijn moeder probeerde elk detail van ons bestaan te regelen. Tot ik wat ouder was en openlijk rebelleerde, kleedde moeder ons allevier precies hetzelfde, tot aan de lintjes in onze vlechten. 'Je kunt perfect elegant zijn, maar als je ook maar een enkel vlekje hebt, ben je niets,' zei ze gewoonlijk. Voor mijn moeder was onze uiterlijke waardigheid van vitaal belang.

Toen ik volwassen was, vertelde een van mijn moeders neven mij het verhaal van het huwelijk van mijn ouders. Mijn moeder was naar Lausanne gegaan om te studeren. Daar ontmoette ze mijn Zwitserse vader, die haar volledig inpalmde. Ze gingen naar Parijs en toen ze terugkwamen, waren ze getrouwd: haar familie stond voor een voldongen feit. Dat was mijn moeder ten voeten uit: impulsief, opstandig en het soort vrouw dat haar dochters Carmen, Salomé, Béatrice en Magnolia noemt. Mijn moeder verliet haar land, liep weg met de man van haar keuze, reed auto. Op een bepaalde manier was mijn moeder vreemd genoeg een pionier.

Later is ze die persoonlijkheid gaan onderdrukken, misschien vanwege haar mislukte huwelijk. Toen wij opgroeiden leek mijn moeder alleen maar iets te geven om wat andere mensen zouden denken. Ze ging haar kinderen opvoeden volgens de regels waaraan ze zelf getracht had te ontkomen. Ze kon niet toegeven dat mijn vader haar in de steek had gelaten voor iemand anders, want als haar huwelijk was mislukt, zou dat voor haar eigen moeder het bewijs zijn dat ze destijds een fout had gemaakt met haar impulsieve trouwen.

Dat was voor mij de betekenis van 'uit het Midden-Oosten komen'. Je leeft achter geheimen. Je stopt de onaangename dingen weg. Je moet je onderwerpen aan de regels van de samenleving. Liegen is te rechtvaardigen als je daarmee je gezicht kan redden. Alleen de uiterlijkheden tellen.

Mijn persoonlijkheid was anders. Voor mij was waarheid belangrijk. En ik hield er niet van me te onderwerpen. In plaats van mij te schikken naar mijn moeders regels, begon ik haar uit te dagen. Ik herinner me dat ik haar vertelde dat ze moest ophouden mij in situaties te dwingen waarin ik zou moeten liegen. Ik wilde haar ertoe bewegen dat ze mij accepteerde zoals ik was.

Op de middelbare school gingen zowel mijn zusje Salomé als ik roken. Mijn moeder bood ons aan te kopen wat we ook maar wilden hebben, als we het roken maar op zouden geven. Salomé wilde graag een auto, en dus kocht mijn moeder een Fiat voor haar. Vervolgens bleef Salomé stiekem roken.

Mijn moeder nam mij mee naar een bonthandelaar en liet me een jas van luipaardvel passen. Ze zei: 'Beloof mij nu dat je nooit meer één sigaret zult aanraken. Dan koop ik die jas voor je, nu meteen.' Ik wilde wel – ik wilde die jas zelfs heel graag – maar ik wilde geen beloftes doen waarvan ik wist dat ik ze niet kon nakomen.

Op weg naar volwassenheid was ik geestelijk verscheurd, gespleten door de tegenstrijdigheden in mijn opvoeding en persoonlijkheid. Ik woonde in het Westen. Ik was heetgebakerd, impulsief en ik snakte ernaar vrij te zijn. Maar er lag erg veel van mijn culturele achtergrond in het Midden-Oosten, waar clanregels belangrijker zijn dan individuele persoonlijkheid. In het Midden-Oosten ontwikkel je je nooit als individu. Sommige mensen kunnen misschien een tijdje aan hun tradities ontsnappen, maar op een gegeven moment krijgen die je toch weer in hun macht.

Ik wist dat ik voor mezelf moest beslissen welke kant mijn leven op zou gaan. Maar ik was te onervaren en verward om het alleen te doen. Ik wachtte op hulp, op een of ander teken.

2 Verliefd

De eerste keer dat ik Yeslam ontmoette, had ik nog geen idee dat deze man mijn leven voor altijd zou veranderen. Het was lente en er waren dat jaar heel veel Saoedi's in Genève. Mijn zusters en ik planden een vakantie om mijn grootmoeder in Iran te bezoeken, en dus had mijn moeder bedacht om tijdens de zomer een verdieping van haar huis te verhuren aan een Saoedi-Arabische familie op vakantie in Europa. Een tengere, jonge Saoedische man, van top tot teen gekleed in het zwart, kwam langs om de huurovereenkomst af te ronden. Ik keek naar hem; hij glimlachte beleefd terug.

Vervolgens kreeg mijn grootmoeder iets aan haar been en onze reis naar Iran werd geannuleerd. Het was te laat om de huur nog op te zeggen, dus reden mijn zussen en ik heen en weer tussen een appartement in Lausanne en mijn moeders huis, waar zij gastvrouw speelde voor haar Saoedische gasten.

Yeslams moeder was Iraanse, net als mijn moeder: een vrouw met een vriendelijke stem, een lief, rond gezicht en donker geverfd haar. We spraken Farsi. Yeslams jongere broers, Ibrahim en Khalil, hadden woeste afrokapsels en plateauzolen. Fawzia, de jongere zus, zag eruit als elke Europese tiener, met strakke T-shirts, lang golvend haar en een grote zonnebril. En dan hadden we Yeslam nog.

Yeslam intrigeerde me. Hij was rustig, maar hij had een fascinerend, natuurlijk gezag. Hij was slank, gebruind, knap en hij was gek op zijn twee dobermanns. Hij zei niet veel, maar zijn ogen waren indringend en kalm. En ze keken voornamelijk naar mij.

We begonnen met elkaar te praten, eerst over koetjes en kalfjes, later werden het lange gesprekken. In de loop van de zomer werd Yeslam steeds attenter. Hij vroeg steeds vaker en dringender of ik met hem en zijn familie mee wilde gaan op hun tochtjes door de stad. Hij was erg hoffelijk tegen mij. Hij was vierentwintig jaar oud, iets ouder dan mijn vrienden en ik, en anders. Yeslam gedroeg zich als een volwassene. Hij deed waar hij zin in had. Hij gedroeg zich verantwoordelijk en leiderschap was iets natuurlijks voor hem. Voor iedereen, zelfs voor zijn moeder, broers en zussen, was Yeslams woord wet. Ook mijn moeder wilde zijn raad.

Ik zie nu in dat Yeslams natuurlijke gezag voortvloeide uit de Saoedische cultuur waarin hij was opgegroeid, waar de oudste zoon alles binnen zijn clan bepaalt. In die tijd zag ik slechts een man die me het hof maakte, die exotisch en knap was, en wiens gezelschap ik fascinerend vond.

Yeslam was kalm en scherpzinnig. Hij had een helder verstand en een sterke wil. Hij onthield elk detail van wat ik zei. Hij begreep me. Hij leek me nodig te hebben. Ik kreeg het gevoel dat ik de enige persoon in de wereld was die hij in vertrouwen kon nemen. Er was geen specifiek moment waarvan ik kan zeggen dat ik plotseling voor hem viel – maar ik was wel verliefd.

In de loop van de zomer zochten Yeslam en ik elkaar elke dag op. We brachten elke vrije minuut samen door. Op een gegeven moment vond ik de scheidingspapieren van mijn ouders. Ik voelde me ellendig toen ik het hele verhaal las; ik zag mijn vader opeens in een ander daglicht. Die knappe, imponerende, liefhebbende vader naar wie ik altijd verlangde, bleek klein, bekrompen en laag. Het leek erop dat mijn moeder veel dingen voor mij had achtergehouden – belangrijke dingen, dingen waarvan ik vond dat ik het recht had ze te weten.

Ik huilde uit op Yeslams schouder en vertelde hem dat ik nooit kon trouwen, omdat ik nooit zou willen dat mijn kinderen door hun vader in de steek zouden worden gelaten, zoals mijn vader mij en mijn zusters had verlaten. Ik wilde niet dat een van mijn kinderen ooit die lijdensweg zou kennen van een verbitterde scheiding als die van mijn ouders. Yeslam troostte me. Ik voelde dat hij me begreep. Bij Yeslam voelde ik me veilig.

Yeslam kon zaken ook elegant oplossen. Op een avond probeerde hij me te leren autorijden in zijn Porsche; ik knalde hem tegen de poort van mijn moeders huis. Ik dacht dat hij boos zou zijn, maar het leek hem niet te deren, hij glimlachte slechts. 'Jij bent een gevaarlijke chauffeur,' was alles wat hij zei. Yeslam was gek op zijn fonkelnieuwe auto, maar die avond realiseerde ik me dat hij nog gekker was op mij.

Autorijden was een van Yeslams passies – hij had racelessen genomen in Zweden. 's Middags scheurden we vaak samen door de Zwitserse bergen terwijl Schubert uit de luidsprekers schalde.

In het begin van onze verhouding zag ik Yeslam alleen als vriendje, niet als een mogelijke huwelijkskandidaat. Een van de dingen die me het meest aantrokken in Yeslam was dat hij zo onafhankelijk leek te zijn – en ik wilde ook zo heel graag onafhankelijk zijn. Ik vond het heerlijk om met hem te praten. Als hij chagrijnig was, werd ik gek. Als ik te veel praatte met mijn vrienden werd hij stil, en dan voelde ik me onmiddellijk schuldig. Hij wilde mijn volledige aandacht, de hele tijd. Hij was erg gesloten tegen iedereen, met uitzondering van mij. Hij vond het leuk dat ik extravert was, maar ik wilde niet dat hij zich niet op zijn gemak voelde; ik begreep dat er grenzen waren. Vreemd genoeg vleide zijn bezitsdrang mij. Het gaf me een geruststellend gevoel.

Onze verhouding was inmiddels meer dan een zomerromance. Yeslam begon me bij zijn persoonlijke leven te betrekken door me aan zijn uitgebreide familie voor te stellen. Hij vertelde me dat hij 24 broers en 29 zusters had. Ik kon me met geen mogelijkheid voorstellen wat dat in werkelijkheid betekende; ik geloof dat de geschoktheid van mijn gezicht af te lezen was, want Yeslam verzekerde me dat dit zelfs voor Saoedische begrippen een ongewoon grote familie was.

Ik ontmoette Yeslams oudste broer, Salem, toen hij op doorreis in Zwitserland was. Ik was onder de indruk van hoe open en sociaal hij was vergeleken met Yeslam. Salem had een geweldig gevoel voor humor – hij lachte veel, en speelde 'Oh Susannah' op de mondharmonica. Hij leek erg westers vergeleken met Yeslam, die zo bescheiden was. Ik kon wel zien dat er een ingewikkelde machtsstrijd aan hun relatie ten grondslag lag.

Hoewel hij niet ouder kon zijn dan dertig had Salem een bijna vaderlijke houding ten opzichte van Yeslam, die zich daaraan stoorde. 'Salem denkt dat hij de baas is over mij, alleen omdat hij het hoofd van de familie is,' zei Yeslam tegen me met amper ingehouden irritatie. 'Maar ik heb Salems toestemming niet nodig om iets te doen.' Het leek wel of we dezelfde strijd voerden – ik met mijn moeder, Yeslam met zijn broer.

Aan het einde van de zomer liepen we op een middag met Yeslams honden in mijn moeders tuin te praten over de toekomst. Yeslam zei dat hij terug wilde naar Saoedi-Arabië om dobermanns te fokken. Ik vond dat een belachelijk idee. Ik zag dat Yeslam veel meer in zijn mars had, hij had buitengewone kwaliteiten. Ik zei hem dat hij te intelligent was om daarmee tevreden te zijn. Hij was het aan zichzelf verplicht om grotere ambities te hebben. Hij moest maar blijven studeren en iets van zijn leven maken. Yeslam antwoordde: 'Oké, maar alleen als jij met me trouwt.' Het leek een uitdaging, een soort provocatie. Op een bepaalde manier klonk het ook als een smeekbede. Ook Yeslam was op zoek naar iemand die hem zei welke richting hij uit moest gaan. Ik wist dat het geen grapje was – hij meende het.

Ik lachte en zei dat ik erover na zou denken.

Natuurlijk wisten we allebei dat ik ja bedoelde.

Yeslam bleef bij ons in huis toen de zomer ten einde liep. Hij was nu mijn verloofde en dat betekende dat ik een volwassene was en dat ik vrij was. Voor het eerst sinds jaren was er een man in het gezin en mijn moeder vond dat heerlijk. Ik denk dat ze in zekere zin aanvoelde dat haar rebelse dochter nu de verantwoordelijkheid van iemand anders zou zijn. Ze vroeg me niet meer waar ik naartoe ging als ik de deur uit ging. Ze eiste ook niet meer dat ik op een vastgesteld tijdstip terug zou zijn.

We gingen uit naar nachtclubs, zoals alle jonge stellen in Zwitserland. Yeslam kon goed dansen, maar bij de geestdrift van Salem haalde hij het niet. Yeslam liet me op scherpe toon weten dat ik niet met Salem moest dansen als hij dat vroeg. Als ik het wel deed zou Salem een verkeerde indruk van me kunnen krijgen. Dit was een van mijn eerste kennismakingen met de vreemde regels van Saoedi-Arabië. Als je met een andere man danst, al is het de broer van je vriendje, word je niet gerespecteerd.

Ons eerste meningsverschil vond plaats op het station van Lausanne. Ik wilde iets eten, maar er stond een lange rij mensen te wachten om sandwiches te kopen. Yeslam liep rechtstreeks naar de sandwichverkoper; de man beet hem op nogal grove wijze toe om gewoon achter in de rij te gaan staan. Yeslam deed toen iets onverwachts: hij gooide een biljet van honderd Zwitserse francs op de toonbank en liep weg. Dat Yeslam zomaar vooraan de rij was gaan staan, was één ding – misschien had hij niet begrepen dat de andere mensen ook stonden te wachten om geholpen te worden. Maar om vervolgens een grote som geld neer te smijten en weg te lopen? Ik was met stomheid geslagen.

Later zei ik hem dat ik zijn reactie niet begreep – mij leek het alsof hij de man had beloond voor zijn grofheid. Maar Yeslam kon het niet verdragen als een vreemde hem vertelde wat hij moest doen. Daarom zwichtte hij niet en ging niet weer in de rij staan; maar hij ging ook niet tekeer tegen de man. Hij gooide het geld naar hem om zijn minachting uit te drukken. Voor Yeslam was dit logisch. Dit was de eerste keer dat zijn gedrag me verbaasde.

In november 1973 nam Yeslam me mee op reis naar Libanon. Het was een geweldige ervaring, als een sprookje. Ik was een volwassen vrouw die reisde met een man die van me hield. Libanon was de geboorteplaats van een van mijn favoriete filosofen, Khalil Gibran. Als tiener had ik zijn boek *De profeet* altijd bij me. Libanon was voor mij ook een deel van de Ara-

Carmen, zes jaar oud, op vakantie in Perzië (tegenwoordig Iran).
'Ik ben in Zwitserland opgegroeid, maar bracht mijn vakanties altijd door in Perzië, bij mijn moeders familie.'

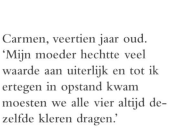

Carmen, veertien jaar oud.
'Mijn moeder hechtte veel waarde aan uiterlijk en tot ik ertegen in opstand kwam moesten we alle vier altijd dezelfde kleren dragen.'

In de tuin van mijn moeder in Genève.
'In de zomer van 1973, toen ik Yeslam ontmoette, hadden de jonge mensen de wereld in handen. Ik was vol opwinding over de toekomst en heel erg verliefd.'

Mijn zusters Magnolia, Salomé en Béatrice met onze tante en haar twee kinderen in Genève.

Yeslams broer Ibrahim en hun vader sjeik Mohamed in Djedda in de jaren vijftig. 'Sjeik Mohamed had vierenvijftig kinderen. Hij was een formidabele man en ik heb nog steeds een foto van hem in mijn zitkamer in Genève.'

Een deel van Yeslams familie op een tripje naar de Pacific Palisades: Ahmad, Shafik, Ragaih, Yahia, Yeslam en Ibrahim.
'Met hun jeans en hun afrokapsels leken ze precies Amerikanen – uiterlijk.'

Aan de thee met Yeslam, zijn moeder Om Yeslam en zijn zus
Fawzia in Interlaken, Zwitserland.
'Yeslam nam me steeds vaker mee tijdens de uitstapjes met zijn
familie.'

'Saoedische vrouwen
hebben geen foto in hun
paspoort. Als buitenlander
had ik er wel een nodig
voor mijn visa. Mijn ge-
laat moest zichtbaar zijn
maar ik droeg natuurlijk
wel een hoofddoek.'

Djedda, 1974.
'Aangezien camera's in die tijd ongebruikelijk waren in Saoedi-Arabië, heb ik maar een paar amateurfoto's van de eigenlijke bruiloft. De dag erna hebben we meer foto's gemaakt. Op de bruiloft was Yeslam nog volledig in traditionele kleding; hier draagt hij een westers pak.'

Yeslam en zijn broer Ibrahim de dag na de huwelijksplechtigheid. 'Het was een zeldzame aanblik, al die bloemen in Djedda.'

Met Yeslam in Californië.
'Het was onze eerste reis naar de Verenigde Staten. Het land
was als een droom die werkelijkheid wordt, ongelooflijk
open en werkelijk met onbegrensde mogelijkheden.'

In Santa Monica met Yes-
lam, Fawzia, Om Yeslam,
Mary Martha en Wafah.
'Yeslam kocht een kleine
eenmotorige Mooney. Ik
nam vlieglessen.'

Met de drie maanden oude Wafah.
'De geboorte van mijn eerste dochter was de belangrijkste gebeurtenis in mijn leven. Het heeft mij volledig veranderd.'

Mary Martha met Wafah op haar eerste verjaardag.
'Mary Martha was mijn beste vriendin, mijn gids en een permanente bron van inspiratie en troost. Ik noemde haar "mijn Amerikaanse moeder".'

In Santa Monica met Wafah en Yeslam.
'Ik was zo gelukkig met mijn prachtige baby en mijn knappe, slimme echtgenoot. Het leven leek vol mogelijkheden.'

Voor de USC op de dag van Yeslams afstuderen.
'Ik had Yeslam aangemoedigd om te studeren en hoewel ikzelf mijn opleiding moest staken, was ik geestdriftig toen hij afstudeerde.'

bische wereld, een beschaving die het thuisland was van vooruitziende en wijze mannen die de geheimen van de sterren en de wiskunde hadden ontdekt. Het Beiroet van voor de burgeroorlog was als het Arabië uit *Duizend-en-een-nacht*: de weelde, de kleuren, de geuren, en bovenal het oranje-gele zonlicht van de Middellandse Zee. Yeslam was voortdurend attent. We bleven laat op, we aten waar we zin in hadden, deden wat we wilden. Het was heerlijk om verliefd te zijn. Het zorgde voor een nieuw perspectief in mijn leven.

Het leek wel of we overal waar we kwamen, steeds meer van Yeslams broers ontmoetten. In Libanon ontmoetten we Ali en Tabet. Fysiek verschilden ze enorm. Ali kwam overduidelijk uit het Midden-Oosten: zijn moeder was Libanese. Tabets moeder kwam uit Ethiopië: hij was zwart. Pas toen realiseerde ik me dat Yeslams vader 22 vrouwen had gehad. Meer nog dan na te denken over de gevolgen hiervan, zag ik het als iets exotisch. Ik was verliefd en deze doolhof van familiebanden beschouwde ik maar als een vaag onderdeel van mijn fantastische romance.

Later gingen we naar Iran, waar we drie dagen doorbrachten bij familieleden van mijn moeder (niet bij mijn grootmoeder, die verbleef voor medische behandeling in de Verenigde Staten). Daar vielen de schellen van mijn ogen. Als kind had ik tijdens de vakantie wel bedelaars gezien op straat. Ze kwamen vaak naar mijn grootmoeders wijk voor aalmoezen, voedsel of oude kleren. Een van mijn ooms maakte ons destijds duidelijk dat ons medelijden misplaatst was: 'Och, maak je toch geen zorgen, ze hebben wel geld, ze willen gewoon niet werken,' zei hij altijd.

Toen Yeslam me echter meenam naar de tapijtbazaar in Teheran om een Perzisch tapijt te kopen, zag ik de ellendige waarheid. Jongetjes en oude mannen die bijna bezweken onder balen tapijten. Ze zouden op school moeten zijn, of thuis – in ieder geval leken ze veel te zwak om te werken. Toch werden ze beladen als ezels. Ik had nog nooit zoiets gezien. Ik besefte dat mijn leven altijd beschermd was geweest. Ik begon te huilen.

Yeslam nam me mee terug naar de auto. Onze chauffeur probeerde me te troosten. Hij zei: 'Denkt u dat deze mensen arm zijn? Zij hebben nog geluk, ze hebben werk. Ik kan u naar een plek brengen waar hele families in holen onder de grond leven.' Natuurlijk maakte dat het nog erger: ik was ontroostbaar. Zelfs Yeslam kon me niet troosten. Ik besefte dat het Iran dat ik me herinnerde van mijn jeugd een illusie was geweest, de wrede realiteit had ik nooit gezien. Mijn leven leek eens te meer gebouwd te zijn op geheimen en illusies.

Later, toen ik me inbeeldde dat Saoedi-Arabië zou lijken op mijn jeugdherinneringen aan Iran, zou ik mezelf nog meer voor de gek houden.

Ik aarzelde nog steeds of ik met Yeslam moest trouwen. Ik was jong en het bittere voorbeeld van mijn ouders lag nog vers in mijn geheugen. Trouwen was beangstigend. We hadden mijn moeder echter al van onze plannen op de hoogte gesteld. De machinerie was in werking getreden en ik werd meegesleept.

In december van datzelfde jaar vlogen we samen naar de Verenigde Staten om ons in te schrijven aan de universiteit van Los Angeles. Ik vond Amerika opwindend, mijn jeugddroom kwam helemaal uit. De mensen leidden werkelijk een zorgeloos en gemakkelijk bestaan; ze leken zo veel minder belemmerd door regeltjes dan wie ik ook maar kende. Ik hield van de weidsheid, de manier van leven, het gevoel van vrijheid – dat ongelooflijke gevoel om in de toekomst te stappen.

Amerika leek inderdaad het land van de eindeloze mogelijkheden. Niet alleen om te studeren: voor Yeslam en mij was het duidelijk dat er in dit ongelooflijk open land ook zakelijke kansen voor ons lagen.

Bij ons eerste bezoek aan de campus van de universiteit van Zuid-Californië in Los Angeles, ontmoetten we Jerry Vulk, de decaan van de internationale studenten. (Hij vertelde ons later dat hij ons al onmiddellijk als buitenlanders had herkend. Door mijn rok en hoge hakken en Yeslams Europese pak vielen we nogal op.) Jerry nam ons onder zijn hoede en liet ons alles zien. We besloten onmiddellijk college te gaan volgen in het semester dat in januari begon. Yeslam zou bedrijfskunde gaan studeren; ik ging een opfriscollege Engels volgen.

Eerst vlogen we terug naar Genève voor onze eerste gezamenlijke kerst met mijn familie. Yeslam leek overgelukkig. Hij leek helemaal niet geschokt dat bij mij thuis, hoewel mijn moeder een Iraanse moslim was, een kerstboom stond met cadeautjes eronder en dat we een toch wel heel erg christelijk feest vierden.

Een paar weken na het begin van ons eerste semester ontmoetten we Jerry's vrouw, Mary Martha Berkley. Het was haar verjaardag (later noemde ze ons altijd haar verjaardagscadeautje). Soms ontmoet je iemand in je leven met wie het direct klikt; voor mij was Mary Martha zo iemand. Ze was een echte dame, lang, met donker haar en blauwe ogen en een echte schoonheid. Hoe vaker ik Mary Martha zag, des te aardiger ik haar vond. Haar uitstraling was fantastisch, stijlvol en warm. Ze was aardig tegen ons. Mary Martha hielp Yeslam en mij met het zoeken naar een huurhuis; het eerste in een lang reeks van attente, vriendelijke gebaren. Ze adopteerde ons.

Mary Martha werd mijn mentor. Ze was mijn ideale Amerikaanse. Haar voorbeeld hielp me om de losse eindjes van mijn persoonlijkheid aan elkaar te knopen – hielp me de volwassene te worden die ik wilde zijn. Als ik naar Mary Martha keek, voelde ik de puzzelstukjes van mijn opvoeding op hun plaats vallen. Ik hield van hoe ze was: onafhankelijk maar teder, optimistisch en grappig, elegant en direct in haar uitlatingen. Ik hield van de manier waarop ze omging met haar tienerkinderen en hoe ze hun leerde sterk en eerlijk te worden. Mary Martha was een uiterst toegewijde moeder. Om haar zoon naar zwemles te brengen stond ze elke ochtend om vier uur op; toch leek ze nooit druk uit te oefenen om haar kinderen iets tegen hun zin te laten doen.

Dit was de manier waarop ik mijn eigen kinderen zou opvoeden, dacht ik: ze zichzelf laten zijn. Mary Martha oordeelde nooit over mij en ze probeerde nooit mijn leven te dirigeren zoals mijn moeder deed. Zij en ik werden meer dan vrienden; we ontwikkelden een diepe en duurzame band. Ik bewonderde haar meer dan wie ook, en ze stelde me nooit teleur. Ze was de komende jaren als een moeder voor mij – mijn Amerikaanse Mom.

Een van de studenten tijdens de colleges Engels was een Saoedi genaamd Abdelatif. Hij was met stomheid geslagen toen hij hoorde dat ik verloofd was met Yeslam bin Ladin. Op een dag kwam hij naar me toe om te zeggen dat hij Yeslams vader, die in 1967 was overleden, had gekend. Aan de andere kant van de wereld was Abdelatif nu de eerste die me de ogen opende voor de kern van de Saoedische legendes rondom Mohamed bin Ladin. Abdelatif vertelde dat zijn vader in Djedda voor sjeik Mohamed had gewerkt, zoals bijna iedereen in Djedda voor hem werkte. Sjeik Mohamed was arm geboren en had een van de machtigste bouwbedrijven in het Midden-Oosten opgebouwd. Hij had de paleizen van koningen en prinsen gebouwd en de heiligste plaatsen van de islam gerenoveerd. Hij was een groot man; een held, die harder werkte dan wie dan ook op aarde. Hij was eerlijk, vroom, en geliefd bij iedereen die hem kende. En ik was verliefd op zijn zoon.

We nodigden Abdelatif en zijn vrouw uit voor een etentje. Later leerde ze me Saoedische gerechten maken, die ik nog steeds af en toe kook (*samboesas*, gehakt in korstdeeg, blijft een van de favoriete gerechten van mijn kinderen), maar toentertijd was ik een onervaren kok: we haalden ook regelmatig eten af. Abdelatifs vrouw was jong, maar ze kleedde zich bescheiden, als een oude dame, in saaie lange rokken. Ze droeg altijd een hoofddoek strak om haar gezicht. Ze was erg gesloten. Ook Abdelatif was altijd tamelijk verlegen tegen mij, vooral tijdens college als Yeslam niet in de buurt was. Het leek wel alsof hij me nooit aankeek.

Ik dacht toen nog dat dat kwam doordat er een Bin Ladin in het spel was. Later besefte ik dat hij niet mocht kijken naar het gezicht van een vrouw die toebehoorde aan een andere Saoedische man.

Maar Saoedi-Arabië was ver weg in deze zorgeloze dagen. Yeslam was pas zes toen sjeik Mohamed hem al naar een kostschool in Libanon stuurde, en later naar Engeland en Zweden.

Hij had alleen de zomers thuis doorgebracht. Ik was niet van plan in dat verre Saoedi-Arabië te gaan wonen. Bovendien waren we erg gelukkig in Amerika. Ik had de indruk dat Yeslam bouwde aan onze toekomst in dit fantastische, vrije, nieuwe land dat we aan het ontdekken waren. Amerika was nu ons thuis.

En als op een dag Yeslams lot hem naar Saoedi-Arabië zou voeren, vooruit dan maar. We zouden pioniers zijn. Eindelijk had ik mijn roeping gevonden. Sjeik Mohamed, Yeslams vader, had het koninkrijk Saoedi-Arabië veranderd van zanderige kamelenpaden tot hoogbouw en vliegvelden. Yeslam zou het met mijn hulp verder kunnen laten ontwikkelen tot een moderne samenleving.

In die tijd kende ik geen angst en voelde geen grenzen. Ik had mijn levenspartner gevonden en ik had het gevoel dat ik de hele wereld aankon. Mijn vermetelheid was grenzeloos. Ik wist niets.

3 Mijn Saoedische huwelijk

Thuis had ik een steentje dat ik had opgeraapt van het graf van mijn oudtante in Iran. Ik had het met wat zilver in een ketting laten zetten en het lag altijd op mijn toilettafel. Eigenlijk was het gewoon maar een kiezelsteentje, maar ik koesterde het. Op het moment dat ik het opraapte – Yeslam was erbij, die dag – voelde ik een vraag opkomen. Het was alsof ik mijn oudtante om advies wilde vragen: moet ik met deze man trouwen? De steen werd een symbool van mijn verhouding met Yeslam. Toen, op een ochtend in april in ons huis in Los Angeles, realiseerde ik me dat ik mijn steentje niet meer kon vinden.

'Kijk,' zei ik tegen Yeslam, 'dat betekent dat we niet kunnen trouwen.'

Yeslam nam het heel ernstig op. Hij kon zo ontwapenend zijn. Hij zocht overal, draaide zelfs de vuilnisbak om, en ontdekte vervolgens triomfantelijk mijn waardevolle steentje achter in mijn toilettafel. 'Nu moet je wel met me trouwen,' jubelde hij.

Op dat moment besefte ik hoeveel ik voor Yeslam betekende. Hij wilde met heel zijn hart dat ik ja zou zeggen.

Mijn moeder bleef ons onder druk zetten om de huwelijksdatum vast te stellen. Ze vond Yeslam aardig; ik denk dat ze erop vertrouwde dat hij mijn heetgebakerde karakter kon temmen. Ze verlangde ook naar een man in het gezin. En dus besloten Yeslam en ik dat ik na afloop van het semester terug zou keren naar Genève terwijl Yeslam naar Saoedi-Arabië zou gaan om de voorbereidingen te treffen voor ons huwelijk dat nog voor het einde van de zomer plaats zou vinden. Saoedi's mogen alleen met een buitenlandse trouwen als de koning zijn toestemming geeft, en dus moest Yeslam ook naar het koninklijk paleis om goedkeuring te verkrijgen.

Ik wilde graag in Genève trouwen, in de buurt van al mijn familie en vrienden. Ik dacht dat Yeslams familie die reis wel kon maken. Toen Yeslam terugkeerde met de koninklijke toestemming zei hij echter dat hij wilde dat we in Djedda, de stad waar zijn familie woonde, gingen trouwen. Dat zou voor iedereen het bewijs zijn dat de koning er officieel mee had ingestemd. Yeslam zei dat de mensen misschien wel minder respect voor mij zouden hebben als we in het buitenland trouwden. Dit was weer een voorbeeld van de noodzaak om respect te verdienen, en de vreemde, bijna feodale rituelen waarmee ik dat moest doen. Het verbaasde me dat de officiële toestemming van de koning mij een respectabeler persoon zou maken. Bedreigend vond ik het niet, eerder grappig.

Yeslam vertelde me dat de voorbereidingen voor de bruiloft van een van zijn zussen, Regaih, al in volle gang waren en dat het de gemakkelijkste oplossing zou zijn als onze bruiloft tegelijkertijd werd gepland. Zo werd 8 augustus 1974 de datum van onze trouwerij. Ik had er geen idee van hoe een Saoedische bruiloft werd gevierd. Ik had er nog nooit een bijgewoond. Twijfels had ik niet: ik was verliefd en mijn moeder was opgetogen dat ik ging trouwen. Voor mij werd de bruiloft steeds meer een formaliteit.

Ik nam geen vrienden mee. Visa krijgen voor mij en mijn familie was al een beproeving. Alleen mijn moeder, mijn zussen en Mamal, de zoon van mijn oudtante die in Iran woonde, gingen mee.

Ik koos ervoor mijn vader niet uit te nodigen – ik wilde mijn moeder niet met hem confronteren na al die jaren. Ik had het gevoel dat mijn moeder nog steeds van hem hield en dat haar hele leven zou blijven doen; hem zien zou haar te veel pijn doen. En dus was Mamal, mijn moeders neef, mijn meest naaste mannelijk familielid hoewel ik hem niet goed kende. Het leek erop dat zijn aanwezigheid bijna net zo belangrijk was als de mijne. Mamal zou meedoen met de religieuze ceremonies die alleen voor mannen waren; hij zou daar de bruid vertegenwoordigen en Yeslams hand vasthouden. Zijn aanwezigheid zou bevestigen dat Yeslam en ik zouden kunnen trouwen. Zonder Mamal, zo leek het wel, kon er geen bruiloft zijn.

Een erg merkwaardig idee. Elke keer als mijn zus Magnolia Mamal in het oog kreeg, grapte ze: 'Daar komt de bruid!'

Mijn voorbereidingen waren jachtig. Allereerst ging ik een bruidsjurk kopen. Ik keek bij de haute couture van Chanel in Genève, maar geen van de modellen leek op de jurk die ik wilde, of die geschikt was voor wat ik, gebaseerd op mijn jeugdherinneringen van Iran, associeerde met Saoedi-Arabië. Ik wilde een hoge kraag, geschulpte mouwen met een omslag, heel erg eenvoudig en toch heel elegant. Uiteindelijk heb ik zelf een jurk ontworpen in wit organza die werd gemaakt door een kleermaker van Chanel. Ik had het gevoel dat de jurk echt bij mij paste.

Vervolgens kwamen de sluiers. Een lange bruiloftssluier in wit organza en een zwart kleed dat mijn gezicht en lichaam in Yeslams land zou bedekken tegen de buitenwereld. Yeslam had me uitgelegd dat ik dat nodig zou hebben.

Ik kocht dikke zwarte katoen en liet het kleed maken. Het resultaat was een zware Perzische sluier, als een chador, niet de dunnere, zijden Saoedische *abaya*. Ik wist niet beter. Het ding was zo zwaar dat hij bijna uit zichzelf rechtop kon staan. Hij zag er haast komisch ouderwets uit, als een extravagante jurk.

Als laatste gingen mijn zussen en ik uit winkelen om de vele lange jurken te kopen waarvan Yeslam had gezegd dat we ze nodig zouden hebben. In heel Genève konden we niets vinden dat ook maar in de verste verte geschikt was: jurken voor feestjes die formeel waren maar toch bescheiden; eenvoudiger jurken voor overdag die niet te informeel waren maar toch lang. We moesten een kleermaker hebben om een hele reeks van die gewaden te maken. Ten slotte lieten mijn zussen ook zalmroze bruidsmeisjesjurken maken. We hadden het allemaal erg druk met passen.

Toen namen Yeslam en ik met mijn zus Salomé het vliegtuig naar Djedda. (Mijn moeder en mijn andere twee zussen kwamen twee dagen later.) Yeslam droeg het lange, witte katoenen Saoedische gewaad dat *tobe* wordt genoemd. Als het goed gemaakt is, is het behoorlijk koel en staat elegant: ik vond Yeslam nog romantischer in dat exotische kostuum. Een paar minuten voor we zouden landen deden Salomé en ik onze sluiers om. We waren helemaal bedekt met dik zwart doek: handen, hoofd, lichaam. Alleen onze voeten staken eruit. Zelfs onze ogen waren verborgen achter ondoordringbaar zwart gaas. Ik wierp een blik op Salomé. Het was schokkend. Ze had geen gezicht.

Ik zag de woestijn dichterbij komen toen we landden. Het

licht door het zwarte gaasdoek was zo vaag dat ik niet wist of dit nieuwe land gewoon de donkerste, leegste plaats was die ik ooit had gezien, of dat het doek voor mijn ogen ervoor zorgde dat ik iets niet zag dat er wel was. Het gaf me een vreemd, benauwend gevoel. Zo was het helemaal niet toen ik de sluier had geprobeerd bij de kleermaker in Genève. Ik was opgewonden – ik ging immers trouwen – maar vanbinnen voelde ik melancholie, een angstig voorgevoel dat overeenkwam met het zwart van de buitenwereld.

De hitte was verstikkend. Ik kon amper ademen onder de dikke plooien van mijn kleed. Elke beweging ging langzaam en onhandig. Toen we de trap van het vliegtuig af liepen struikelde mijn zus, waarbij de inhoud van haar beautycase op de grond terechtkwam. Niemand hielp haar met opstaan, niemand raapte iets voor haar op. Ze draaide zich naar mij en zei: 'Wat is dit voor een plek?' In Saoedi-Arabië mocht een man haar niet aanraken of zelfs maar in haar buurt komen.

Ik was zo druk met het op zijn plaats houden van de sluier dat ik op bijna niets anders kon letten. Ik kreeg Yeslams broer Ibrahim in het oog met zijn lange wimpers en zijn vriendelijke gezicht. Uitbundig riep ik: 'Hallo Ibrahim' – ik voelde me zo opgelucht dat ik een bekend gezicht zag, maar hij zei niets. Hij keek bijna verlegen. Toen fluisterde hij: 'Hallo.' Ibrahim mocht niet in het openbaar tegen mij praten.

Ik was pas een paar minuten in Saoedi-Arabië en ik had mijn eerste blunder al gemaakt. Het drong langzaam tot me door dat ik in Yeslams land als vrouw in het openbaar een spreekverbod had.

We reden weg zonder te wachten op onze koffers. Een anonieme ondergeschikte zou daar nu voor zorgen. Ik keek uit het raam van de auto en zag door mijn sluier alleen een vaag licht – geen mensen, geen gebouwen. Zelfs de straatverlichting was donker.

Er was in feite ook maar weinig te zien. Djedda was in die tijd maar een klein stadje, oud en smerig, en de buurt waar de meeste Bin Ladins woonden, was aan de weg naar Mekka, precies op de rand van de woestijn.

De weg werd hobbelig, vervolgens vlak, en plotseling waren we bij Yeslams huis – Kilometer Zeven op de weg naar Mekka. De poort was open en mijn schoonmoeder stond in de deuropening van het huis.

We noemden mijn schoonmoeder altijd Om Yeslam. Uiteraard had ze een eigen naam, maar die werd nooit gebruikt. Net als de meeste vrouwen nam ze de naam aan van haar oudste zoon. (Als een Saoedische vrouw alleen dochters heeft, draagt ze de naam van haar eerste dochter tot er een zoon komt: zijn naam krijgt voorrang op de naam van het oudere meisje.)

Om Yeslam was aardig en gastvrij. Het was een grote opluchting dat ik mijn *abaya* af kon doen. Het licht leek opeens verblindend; er waren zoveel kroonluchters dat het leek of ik een lampenwinkel binnen stapte. We gingen zitten en praatten over koetjes en kalfjes. Na de eerste begroeting begon ik mijn nieuwe omgeving in mij op te nemen. Alles in het huis leek groen. Donkergroen kamerbreed tapijt, groen behang, sofa's met groen-goud velours tegen de vier muren van de zitkamer. Het zag er nogal vreemd uit. Er stonden ook plastic bloemen. Toen ik me ging opfrissen, kwam ik tot de ontdekking dat mijn slaapkamer een kastanjebruine marmeren badkamer had zonder ramen, het leek wel een graftombe. Er waren geen rijkversierde oude tapijten of mooi antiek handwerk:

het huis was nieuw en onaangenaam, meer als een onafge-werkt huis in een uitgestrekte voorstad.

De bedienden kwamen binnen met het avondmaal. Ze spreidden een doek op de vloer waarop we aten: *lebna*-kaas, honing, komkommersalade, platte broden, yoghurt en bonen-puree. Het gebrek aan verfijning verbaasde me. Ik had me een exotisch, oriëntaals huis voorgesteld, zoals in de film of zoals mijn grootmoeders huis in Iran. Yeslams vader was toch niet voor niets een van de rijkste mannen in Saoedi-Arabië? Dit was maar een gewoon huis, met weinig smaak gemeubileerd, waar de mensen erg eenvoudig woonden. Helemaal niet het verfijnde leven en de elegantie die ik voor ogen had gehad.

Mijn schoonmoeder had een vriendelijke stem en was een beminnelijke vrouw. Ze was nooit onaardig tegen mij, hoewel ik weet dat ze teleurgesteld moet zijn geweest dat haar zoon geen Saoedische vrouw had gekozen. Onze gesprekken wa-ren vormelijk, in Farsi en Engels, afgewisseld met Yeslams ver-talingen naar het Arabisch.

De volgende dag was het de beurt aan de bezoekers. Omdat ik een aanstaande bruid was, moest de familie komen om me te feliciteren – en, belangrijker, me eens goed te bekijken. Ik werd geconfronteerd met een eindeloze reeks vrouwen, uit-sluitend vrouwen, allemaal in formele, lange jurken en allemaal omhangen met heel veel sieraden. Er waren er tientallen. Ze hadden ongewone namen die ik maar moeilijk kon onthou-den. Het was allemaal enorm verwarrend.

De meeste bezoekers waren familieleden van Yeslam. Dat ab-stracte idee – tweeëntwintig vrouwen, vijfentwintig zonen, negenentwintig dochters – werd nu een stuk concreter. Het was verbijsterend.

Salem, die ik in Genève al had ontmoet, was toen ongeveer dertig; hij was de oudste zoon. Yeslam was de tiende in lijn. Niemand vertelde mij de leeftijdsvolgorde van de zussen als ze binnenkwamen. Dat was klaarblijkelijk niet belangrijk, en ik dacht er niet over om het te vragen.

Natuurlijk was Yeslams vader, sjeik Mohamed, niet met al zijn vrouwen tegelijkertijd getrouwd geweest. Hij scheidde van sommige vrouwen om met andere te kunnen trouwen. De meeste vrouwen, gescheiden of nog getrouwd, en hun kinderen woonden in de tijd dat Yeslam opgroeide op sjeik Mohameds enorme landgoed in Djedda.

Vlak voor zijn dood was sjeik Mohamed begonnen met de bouw van een reeks nieuwe huizen langs de weg naar Mekka, zeven kilometer buiten de stad. Vele van zijn kinderen verhuisden er na zijn dood naartoe en namen hun moeder mee. Het was een complete Bin Ladin-buurt van vrijstaande huizen, verspreid over drie straten die geïsoleerd lagen aan de rand van de woestijn.

Die eerste dagen dat we op Kilometer Zeven woonden werden gekenmerkt door een bijna hypnotische lusteloosheid. Met uitzondering van het verwelkomen van een eindeloze rij vrouwelijke bezoekers in formele kleren en het drinken van Arabische kardemomkoffie uit kleine kopjes, was er niets te doen. In het begin begreep ik niet dat ik met mijn kopje moest schudden om duidelijk te maken dat ik genoeg had gehad en niets meer wilde. De rest van mijn leven heb ik nooit meer zoveel koffie gedronken! Toen ik Om Yeslam van mijn probleem vertelde, legde ze het me vriendelijk uit.

Alleen de mannen konden naar believen komen en gaan. Wij vrouwen werden opgesloten in het huis, niet vanwege de verstikkende zomerhitte, maar omdat vrouwen niet ongesluierd mochten worden gezien door mannen van buiten de familie.

Zelfs als we naar de tuin wilden gaan moesten we de mannelijke werknemers waarschuwen zodat die het terrein konden verlaten. Dan gingen we, meestal als het begon te schemeren, naar buiten, een oven in. Het zand van de woestijn om ons heen was verblindend, alsof we naar sneeuw keken zonder zonnebril. Mijn zorgeloze heelal was ingekrompen tot zesduizend vierkante meter snikhete tuin met alleen een paar stakige bomen.

We deden niet aan lichaamsbeweging. Ergens naartoe wandelen was volkomen ondenkbaar: er was niets waar we naartoe konden gaan. Geen hotels, sportvelden, theaters, zwembaden, restaurants; als ze al bestonden waren ze alleen voor mannen. Geen ijssalons, parken of winkels: een dame van stand kon bijna nooit winkelen. Geen andere man dan Yeslam mocht mijn gezicht zien. Goed, Yeslam had me hiervoor gewaarschuwd voor ik ging, maar om het in het echt mee te maken was iets heel anders. Het was onwerkelijk.

Het leven van Om Yeslam was helemaal afgesloten van welke man dan ook, behalve haar familie. Haar Ethiopische chauffeur zag haar nooit ongesluierd en ik denk niet dat hij ooit haar stem heeft gehoord. Haar jonge bediende – hij was ongeveer twaalf en ook Ethiopisch – kreeg bevelen van haar waarop hij de chauffeur vertelde wanneer hij klaar moest zijn en waar hij naartoe moest rijden.

Ik herinner me de blik van verbazing en ontzetting die mijn schoonmoeder en Yeslams zus, Fawzia, uitwisselden toen ik een keer hun dienstbode bedankte voor zoiets onbelangrijks als een kopje thee. Het was nogal opzienbarend. En ik herinner me de verrassing en een vorm van blijdschap die op het gezicht van die jonge vrouw waren af te lezen.

Mijn moeders familie in Iran had natuurlijk heel veel bedienden, en zelfs in Zwitserland hadden wij een gouvernante. Maar dit was een heel andere wereld, en die had iets onaangenaams over zich.

Later bezocht ik vele huizen waar ik vaker vrouwen verraste door hun bedienden te bedanken. Misschien waren sommigen van hen nog niet zo lang geleden slaaf geweest. Niemand zou me dat vertellen als dat inderdaad het geval was. Saoedi-Arabië was een van de laatste landen in de wereld die de slavernij onwettig verklaarden. Tot 1962 was het normaal voor deftige families om slaven te hebben. De regering kocht hen ten slotte vrij voor drie keer de normale prijs voor een mens. Nu, vijftien jaar later, werden bedienden meestal nog steeds niet gezien als zelfstandige, menselijke wezens die een bedankje waard waren.

Elk gebaar in deze merkwaardige nieuwe wereld leek vreemd. De mensen om me heen waren ondoorgrondelijk. Mannen mochten niet naar mij kijken, zelfs niet als ik gesluierd was. De familie was vriendelijk, maar in hun ogen viel niets te lezen. Die eentonige ontkenning was bijna etherisch, ik voelde me gehypnotiseerd. Het leek in de verste verte niet op Iran of Beiroet – het was een andere planeet. Er waren opeens zoveel dingen die ik in me op moest nemen, en ik had geen idee wat ik ervan moest denken.

Ik zag de stad Djedda voor het eerst bij daglicht toen we na drie dagen naar de Zwitserse ambassade gingen om ons aanstaande huwelijk te laten registreren. (Als ik voor de bruiloft niet liet vastleggen dat ik mijn nationaliteit wilde behouden, zou ik mijn Zwitsers paspoort verliezen. Later heb ik deze dag nog vaak geprezen.) Het was de eerste keer dat ik het huis uit ging. De lucht was zo heet dat ik amper adem kon halen onder de dikke sluier. Yeslam moest me eraan herinneren dat ik achter in de auto moest zitten, helemaal gesluierd, terwijl hij reed.

Rijdend door Djedda keek ik vanachter de getinte ramen van de Mercedes voor mijn gevoel naar beelden uit lang vervlogen tijden. Saoedi-Arabië moest zich in die tijd nog zien op te werken uit de schrijnende armoede van zijn traditionele levenswijze. De mensen waren al wat minder arm nadat er in de jaren dertig van de vorige eeuw olie was ontdekt, maar de buitensporige materiële welvaart die over het land zou razen na het olie-embargo van 1973 lag nog in het verschiet. Donkey Square was nog een wirwar van zandwegen waar mensen water kochten bij mannen met ezels die het water in tonnen op de rug droegen. De zinderende hitte steeg in golven op van de weinige geasfalteerde wegen in de stad. Ik zag een of twee kleine, smerige winkeltjes. De huizen lagen verspreid over de eindeloze zandduinen – onzichtbaar achter hoge betonnen muren die de vrouwen uit het zicht hielden.

In het begin was ik me niet eens bewust van wat er zo vreemd was in dit land, maar opeens drong het tot me door: de helft van de bevolking van Saoedi-Arabië wordt voortdurend achter muren gehouden. Hoe moet je je een stad voorstellen die vrijwel zonder vrouwen is. Ik voelde me een geestverschijning: vrouwen bestonden niet in deze wereld van mannen. En er waren geen parken, geen bloemen, niet eens bomen. Dit was een plek zonder kleur. Afgezien van het zand dat de weg bedekte met een zacht, stoffig tapijt, waren zwart en wit de enige andere kleuren. De witte *tobes* van de mannen en een enkele zwarte driehoek van stijve stof: vrouwen gewikkeld in doodskleden. Genève was duizend jaar hiervandaan.

Een paar dagen later plande Yeslam voor ons een uitje naar de Rode Zee om ons gevoel van huisarrest wat te verminderen. Maar het tegendeel werd bereikt: het benadrukte slechts hoe vreemd alles in Saoedi-Arabië was. Mijn zussen en ik hadden vergeten een badpak mee te nemen. Terwijl wij overlegden hoe en waar we zouden gaan winkelen, werd de chauffeur ontboden.

Een Bin Ladin-vrouw kon niet gaan winkelen – mannen zouden haar wel eens kunnen zien. Dus kreeg de chauffeur de opdracht van de huisknecht wat badpakken te gaan kopen. De chauffeur kwam terug; de huisknecht reikte ons twee koffers met badpakken aan. Voor vele Saoedische vrouwen was dit 'winkelen'. Verbluft door de vreemde gang van zaken, maakten we onze keuze.

We waren nu klaar om naar het strand te gaan. Ik zou een aantal van Yeslams oudere broers voor de eerste keer ontmoeten: Omar, een vrome, conservatieve man; Bakr, hard en stug; en Mahrous, die steeds geloviger werd hoewel hij erg verwesterd was geweest – in feite een soort playboy.

De Bin Ladins hadden zes of zeven bungalows aan zee. Eigenlijk waren het meer gammele kleine eenkamerhutjes, met kitchenettes en een gezamenlijke generator. De mannen trokken zich plechtig terug in een hutje terwijl mijn zussen en ik onze badpakken aantrokken. Via een roestige ladder naast de houten pier lieten we ons in het water zakken en gingen zwemmen. Ik had gehoord dat de Rode Zee een paradijs was voor duikers; het natuurschoon was overweldigend en het was inderdaad het blauwste blauw dat ik ooit in een zee had gezien. We kleedden ons weer aan, dronken thee en warme cola. Er waren overal vliegen. Er werden pogingen ondernomen om ons te amuseren, en dus deden we net alsof we ons vermaakten.

Op een gegeven moment vroeg Yeslam mij om niet te roken waar zijn broers bij waren. Het was een onbelangrijk verzoek, maar na de spanningen van deze eerste dagen in Djedda raakte ik plotseling gefrustreerd. Het leek erop dat ik zelfs niets te zeggen had over de meest elementaire handelingen van mijn dagelijkse leven. Zou ik dan elk detail van mijn persoonlijkheid moeten verloochenen in de strijd om me aan te passen aan dit voor mij vreemde land, met zijn rigoureuze vrijheidsbeperkingen? Ik snauwde: 'Ik zal niet roken, maar ik ga ook niet met je trouwen.' Ik meende het, het was over.

Geheel volgens zijn Saoedische opvoeding vermeed Yeslam een woordenwisseling. Toen we later samen theedronken, bood hij me in aanwezigheid van zijn familie nonchalant een sigaret aan. Dat verrassende gebaar gaf me hoop en het verdreef iets van mijn bange voorgevoelens over de toekomst. Het was een kleine concessie, maar ik zag het als een symbolische daad. Met Yeslams hulp en begrip zou ik erin slagen mezelf te blijven in deze verbijsterende samenleving.

We maakten nog een speciaal uitstapje; dat was pas de derde keer in tien dagen dat ik het huis uit ging. Om Yeslam en Yeslams zus Fawzia brachten ons naar de goudwinkel. Dit was blijkbaar een van de weinige openbare gelegenheden die Bin Ladin-vrouwen ooit bezochten. Rondlopen in een menigte van gezichtloze, in het zwart gehulde vrouwen was een bijzondere gewaarwording. Om me heen kijkend realiseerde ik me dat ik de familie niet kon herkennen – niet eens mijn eigen zussen – tussen al die andere zwarte driehoeken die hier rondliepen. Toen ik wat achterbleef, moest ik Fawzia roepen om me op te komen halen.

Overal glom goud in de soek, dat kon je zelfs door de versluierende zwarte gezichtsdoek goed genoeg zien. De winkel die we in gingen, was heel klein en hing van het plafond tot de vloer vol met gouden armbanden, kettingen en dikke ringen. De prijs was niet gebaseerd op de kwaliteit van het handwerk maar op gewicht – ze werden op een weegschaal gegooid, en vervolgens werd de prijs berekend op een telraam. Terwijl we nog steeds bezig waren een keuze te maken, klonk opeens de roep voor het gebed; de verkopers lieten ons eenvoudigweg in hun winkel achter.

Wij mochten niet bidden in een openbare ruimte, wij waren vrouwen. In Saoedi-Arabië mogen vrouwen geen moskee binnen of bidden in een openbare ruimte – met uitzondering van het rituele gebed dat verplicht is in de heilige steden Mekka en Medina. De mannelijke winkeliers moesten samen gaan bidden als de moëddzin daartoe opriep, dus lieten ze ons gewoon alleen in de winkel, tussen al het goud. De deur was niet eens op slot.

In Saoedi-Arabië wordt maar heel weinig gestolen. De draconische straf die daarvoor staat is een machtig afschrikmiddel: de hand van de dief wordt gewoon afgehakt.

De dag dat ik trouwde was het meest bizarre moment van deze vreemde eerste paar weken. Yeslam en Ibrahim haalden me op om naar het ministerie te gaan voor de registratie van ons huwelijk. Ik wachtte in mijn *abaya* in de auto terwijl zij naar binnen gingen. Even later kwamen ze weer naar buiten met een boek dat ik moest tekenen. Dat was het huwelijksregister. Ik was er trots op dat ik had geleerd om mijn naam in het Arabische schrift te schrijven. Vervolgens nam iemand het boek weer mee en waren we getrouwd.

Het gebruikelijke verlovingsfeest, de *melka*, had ik gemist. Daar had Regaih weken geleden haar trouwpapieren ondertekend tijdens een groot ceremonieel feest voor vrouwen. Ik trouwde dus in mijn zwarte *abaya*, op een zanderige parkeerplaats. Van de speciale toestemming van de koning naar een geparkeerde auto: mijn bruiloft was zo anders dan een bruid zich voorstelde, dat het bijna grappig was. Het was net of ik naar iemand anders keek die ging trouwen. Ik probeerde mezelf wijs te maken dat dat niks uitmaakte.

Het dubbele trouwfeest volgde twee dagen later. We reden naar Salems huis aan de andere kant van de weg om ons voor te bereiden. (Vele jaren later ging ik lopend naar dat huis aan de overkant, volledig gesluierd natuurlijk. Deze stoutmoedige actie leidde tot veel geschokt commentaar onder mijn vrouwelijke familieleden.) Overal liepen vrouwen rond, die op hun beurt door een leger kappers werden verzorgd. Ik had niet geslapen en daardoor een barstende hoofdpijn. Een van mijn zussen vertelde me dat, voor ik de jurk aangereikt kreeg, de vrouwen mijn jurk aan elkaar hadden doorgegeven terwijl ze er kakelende geluiden bij maakten. Waarschijnlijk was de jurk te eenvoudig. Ik voelde me het mikpunt van spot en ik was ontdaan; het was zo onaardig.

Ik trok de jurk aan en mijn haar werd opgemaakt in een ouderwetse chignon. Ik stond stijf van de zenuwen. Over mijn witte organza jurk ging die onheilspellende stijve zwarte chador. In de hitte van de avond liepen we naar de auto en reden naar hotel Candara. Ik geloof dat dat toen het enige hotel in Djedda was. Daar, in de tuin van het hotel, met een rij gloeilampen die als feestverlichting moest dienen, was een plek voor vrouwen afgescheiden met jute doeken om ons af te schermen tegen de blikken van voorbijlopende obers of mannelijke gasten.

Mijn ogen zagen een enorme menigte vrouwen. Alleen maar vrouwen; de ceremonie voor de mannen vond ergens anders plaats. Er waren misschien wel zeshonderd vrouwen, allemaal opgedoft met sieraden en ruches, als voor een deftig galabal. Ze begroetten ons met een pandemonium van juichkreten. Hun ogen bekeken mij kritisch toen Yeslam en ik naar de overkapping liepen.

We kregen een zitplaats op een verhoogd podium bij Regaih en haar bruidegom. Alle vrouwelijke gasten kwamen naar ons toe voor de begroeting. Uitsluitend vrouwen serveerden bij het buffet. Een orkest uit Koeweit dat alleen uit vrouwen bestond zette de monotone trommelslagen en atonale Arabische muziek in, die ik in de loop van de jaren heb leren waarderen. De vrouwen dansten de oude bedoeïenendansen in hun formele, westerse kleding. Het lijkt op Egyptisch buikdansen maar het is schokkeriger, zonder de wellustige ondertoon. We zaten onder de overkapping op onze troon naar de vrouwen te kijken. Ze keken achterdochtig naar mijn zussen in hun identieke jurken: pas toen drong het tot me door dat op een Saoedische bruiloft geen bruidsmeisjes zijn. De hoofdpijn roffelde in mijn hoofd.

Iedereen glimlachte. In de jaren die ik in Saoedi-Arabië heb doorgebracht heb ik nooit directe vijandigheid gevoeld. Een welopgevoede Saoedi is nooit openlijk grof, behalve tegen een bediende. Toch wist ik dat ik altijd zeer kritisch werd bekeken. Ik en mijn levenswijze waren net zo vreemd voor hen als zij voor mij. Ik was een buitenlandse. Ik was opgevoed in het Westen, waar iedereen mijn gezicht kon zien, alsof ik een hoer was. Zij waren geboren in het land van de heiligste plaatsen van de islam – het geboorteland van de profeet Mohamed. Zij geloofden dat ze de uitverkoren bewakers waren van 's werelds heiligste plaatsen. Zij waren de uitverkorenen van God.

Terwijl ik keek hoe ze mij bekeken, werd ik me plotseling heel erg bewust van alle nieuwe, vreemde en soms onaangename ervaringen van de eerste dagen in Saoedi-Arabië. Ik was nu getrouwd met een man die uit een land kwam dat wel heel erg verschilde van mijn eigen thuisland. Misschien vraagt elke bruid zich af of ze de goede beslissing genomen heeft; mij verbaasde het dat ik me dat niet eerder had afgevraagd. Terwijl ik daar zat, met alleen vrouwen om me heen, werd ik pijnlijk getroffen door de enorme kloof tussen de twee beschavingen: de wereld waar ik vandaan kwam en die waar ik nu ingestapt was. Het enige dat mijn onrust en het gevoel opgesloten te zijn enigszins kon wegnemen was de wetenschap dat ik al snel zou terugkeren naar het normale leven in Amerika.

Diezelfde avond, ergens op een andere planeet, trad president Nixon af.

4 Amerika

Dat eerste, surrealistische bezoek van drie weken zou me hebben moeten waarschuwen voor alle moeilijkheden waarmee ik nog te maken zou krijgen. Het was een voorbode van de komende decennia en dat bezoek zou mijn levensloop voor altijd wijzigen. Ik was toen echter nog jong en onvoorzichtig. Toen we een paar dagen na ons huwelijksfeest uit Saoedi-Arabië weggingen, voelde dat als een ontsnapping. De doffe waas in mijn hersenen was snel verdreven. Ik trok mijn *abaya* uit, smeet hem ergens in een hoek en het leek alsof er niets was gebeurd: onze nieuwe Amerikaanse onafhankelijkheid nam ons weer geheel in beslag.

We liepen college, bezochten winkels om ons nieuwe huis in te richten, aten in restaurants, gingen naar de film. We brachten tijd door met Mary Martha en haar gezin en gingen om met andere Amerikaanse vrienden en vriendinnen, wat heel goed was voor Yeslams zaken. Hij wist het zo te regelen dat hij slechts twee dagen per week colleges volgde en de rest van de week voornamelijk op onderzoek uit was naar kansen in de nieuwe wereld van de personal computers. Ik deed mijn voordeel met alles wat de Amerikaanse levenswijze me te bieden had. Ik was nu een getrouwde vrouw en ik was verantwoordelijk voor mijn eigen leven: ik kon doen en laten wat ik wilde, dacht ik zorgeloos.

Ik leerde autorijden in Yeslams witte sportwagen en daarna kocht hij een Pontiac Firebird voor me. Net als Yeslam was ik gek op autorijden – gek op zomaar een eindje rijden als ik me rusteloos voelde. Vervolgens kocht Yeslam een Mooney eenmotorig vliegtuigje. Hij wist me ervan te overtuigen dat ik vlieglessen moest nemen. In de weekenden vlogen we naar Santa Barbara en Las Vegas.

Op een gegeven moment won Yeslam heel veel in het casino – hij was eigenlijk niet zo'n gokker maar soms hield hij ervan om gek te doen. Hij gaf me een witte nertsstola en ook sieraden. Ik was net zo gek op de aandacht en de romantiek als op de cadeautjes zelf.

Ik denk dat Yeslam toen gelukkig was. In ieder geval gelukkiger dan in zijn eenzame jeugd op die kostscholen, zo ver van huis, en misschien wel gelukkiger dan hij ooit weer zou zijn. We lazen samen boeken en bleven tot diep in de nacht op om over zijn studie en zijn eerste stappen als ondernemer te praten, terwijl we de klassieke muziek draaiden waar hij van hield, zo hard als we wilden. Yeslam had een van de eerste pc's gekocht; zijn gevoel zei hem dat er op dit gebied een enorm potentieel was voor investeringen en zakelijke mogelijkheden. Hij was op bezoek geweest bij een man genaamd Steve Jobs, die interessante nieuwe dingen met computers deed in de garage van zijn huis. Het was allemaal zeer opwindend voor ons. We deelden alles in dit fonkelnieuwe Amerika dat we nu vrijelijk konden ontdekken. Het duizelde ons van zoveel toekomstmogelijkheden.

Ibrahim kwam bij ons wonen en ging college lopen op de usc. Hij sprak zo weinig enthousiast over zijn studie dat ik niet zeker weet of hij ooit is afgestudeerd. Dat maakte Yeslam, die zo intelligent en serieus was, nog aantrekkelijker voor me. Ook andere broers van Yeslam kwamen ons bezoeken tijdens hun tochtjes naar het buitenland; we namen ze mee naar Disneyland, Las Vegas en naar feestjes. Ik droeg spijkerbroeken en tennisschoenen; zij droegen strakke broeken en losgeknoopte shirts en hadden afrokapsels. Ze zagen er net zo uit als Amerikanen.

Soms kwam Saoedi-Arabië weer eens in beeld. Mafouz, Yeslams zoogbroer, kwam ons opzoeken. Zijn moeder, Aisha, was sjeik Mohameds oudste kind, en ze had Mafouz in dezelfde tijd gebaard als Yeslams moeder van Yeslam beviel. Aisha en Om Yeslam gaven elkaars kinderen de borst – dat is gebruik in Saoedi-Arabië, tenzij de kinderen een jongen en een meisje zijn, want dan zou het betekenen dat ze nooit met elkaar zouden mogen trouwen. Met een zoogbroer heb je een speciale band.

Mafouz was zeer vroom. In Saoedi-Arabië droeg hij zijn *tobe* kort om zijn eenvoud te tonen – dat was in die tijd het kenmerk van een godsdienstig man. Dit was zijn eerste reis naar het buitenland. Yeslam nam hem en mijn zus Salomé mee in zijn vliegtuigje voor een pleziertochtje. Mafouz zat de hele vlucht opgevouwen in een hoekje. De stoelen stonden dicht bij elkaar, en hij voelde fysieke weerzin om naast een vrouw te zitten die niet zijn vrouw was. Zijn ontzetting werd dubbel zo groot toen Salomé aankondigde dat ze zich niet lekker voelde. Arme Mafouz.

In november kwam ik erachter dat ik zwanger was en wel op de traditionele manier: op een zondagochtend stuurde ik Yeslam er telkens op uit om taco's te gaan halen en ik at mezelf helemaal ziek. (Ik kon mezelf er daarna nooit meer toe brengen om nog één taco te eten.) Ik was verrast dat ik nu echt volwassen genoeg was om in verwachting te zijn, en ik was de hele tijd misselijk. Yeslam was natuurlijk blij, toen ik het hem vertelde; hij glimlachte terwijl hij aan zijn sikje trok. Toch leek hij niet zo opgetogen als ik had verwacht. Hij was niet uitzinnig van blijdschap. Nooit streelde hij mijn buik of was hij verbaasd als de baby in mijn buik schopte.

We wilden allebei een zoon, dat wisten we. In ons huishouden van vrouwen kregen mijn zussen en ik als kinderen altijd allerlei beperkingen opgelegd. Ik heb vaak gewenst dat ik een broertje had – ik had altijd het gevoel dat een jongen meer vrijheid had en mijn moeder zou beïnvloeden om minder streng te zijn. En Yeslam wilde natuurlijk een jongen omdat hij een Saoedi was: zo eenvoudig lag dat. Misschien vanwege mijn Iraanse achtergrond begreep ik dat zonder dat het werd uitgesproken.

Op bevel van de dokter moest ik stoppen met de colleges en een groot deel van mijn zwangerschap rust houden. Een Amerikaanse vriend van mij, Billy, kwam op bezoek. We hadden elkaar in Genève ontmoet en we waren altijd heel dikke vrienden. Na dagen van thuiszitten, verheugde ik me op zijn bezoek. Mijn gezwollen buik was zo nieuw: waar zouden we anders over kunnen praten? Ik zei tegen Billy dat we hoopten op een jongen, maar hij zei: 'Ik hoop dat het een meisje is. En ik hoop dat ze net zo is als jij. Dat zou fantastisch zijn.'

Ik keek glimlachend naar Yeslam. Zijn gezicht stond donker. Hij staarde Billy aan, weliswaar niet fronsend maar hij was wel erg stilletjes. Billy ging nogal snel naar huis. Hij bracht me later nog een bezoekje maar Yeslam wist zonder woorden duidelijk te maken dat Billy niet meer welkom was.

In het begin merk je niet dat je het object van iemand anders wordt. Je komt iemand tegen en met zijn tweeën word je één, je smaken en persoonlijkheden smelten samen tot je het gevoel krijgt dat je onoverwinnelijk bent. Je legt je meningsverschillen bij tot je eigen persoonlijkheid langzamerhand ten onder gaat in je verlangen de ander te behagen. Je verliest jezelf in de ander; des te meer als je uit twee verschillende culturen afkomstig bent, zoals Yeslam en ik. Ook de zwangerschap maakte me kwetsbaar, evenals mijn jeugdigheid. Het gebeurde zo geleidelijk dat ik het zelfs niet kon voelen, maar mijn eigen persoonlijkheid ging Yeslam boven mezelf stellen.

In de lange maanden van mijn zwangerschap was Mary Martha mijn redder in nood. Ik voelde me de hele tijd ziek – maandenlang kon ik niet eens in een auto stappen. Mary Martha hielp Yeslam met de jacht naar een nieuw, groter huis in Pacific Palisades. Ze reed me rond om babykleertjes en een wieg te kopen. Ze bracht me naar mijn zwangerschapsklas, en liet me maar kletsen over die kleine jongen waar ik van droomde.

Op een dag organiseerde Mary Martha een grote liefdadigheidslunch. Toen ze geen hulpjes kon vinden trommelde ik de Bin Ladins op. Ibrahim, met zijn enorme, ruige afrokapsel, speelde ober; Yeslam incasseerde het geld bij de deur. Ik deed in mijn dure zijden positiejurk de afwas. Een conservatieve Californische matrone nam, toen ze op het punt stond weg te gaan, Mary Martha terzijde. 'Die lui die voor u werken zijn nogal anders,' zei ze luid fluisterend. 'Waar hebt u die in hemelsnaam gevonden?'

'Maakt u zich maar niet druk, ze zijn toch te duur voor u,' fluisterde Mary Martha terug. In de keuken lagen we dubbel van het lachen.

Mary Martha's familie adopteerde ons: nu had ik een Amerikaanse familie. Als haar ouders uit Arizona op bezoek kwamen, gingen we altijd naar ze toe. Haar vader, Les Berkley, had een groot landbouwbedrijf dat ijsbergsla kweekte – hij was groot en sterk, een beetje als John Wayne. Mary Martha's moeder, mevrouw Berkley, was een gracieuze, intelligente vrouw, overtuigd Republikein met een diepgeworteld eergevoel. We praatten over de Amerikaanse politiek, de Amerikaanse grondwet en over familie. We deden de woordenschattest van *Reader's Digest* altijd samen. Voor haar was dat afleiding; voor mij een belangrijke oefening.

Er was enorm veel liefde in Mary Martha's familie en bovendien een gevoel van wederzijds respect dat nieuw was voor mij. Toen ik in mijn moeders huis in Zwitserland opgroeide, was ik eraan gewend oudere mensen onvoorwaardelijk te gehoorzamen – alleen omdat ze ouder waren. Ik was vanzelfsprekend respect en gehoorzaamheid verschuldigd aan leeftijd en gezag. In Mary Martha's familie werden alle familieleden volledig geaccepteerd. Ze waren welgemanierd maar ze mochten ook vrijuit spreken – het stond ze vrij om het ergens niet mee eens te zijn.

Bij de Berkleys vertoeven was een warme en welkome ervaring. In die familie werd elk individu gerespecteerd, ongeacht leeftijd. Zelfs de mening van een kind werd aandachtig beluisterd en zorgvuldig afgewogen. Hun beleefdheid was niet werktuiglijk, maar attent. Dit was de opvatting die ik later met me meenam naar Saoedi-Arabië. Ik streefde ernaar mijn dochters in die geest op te voeden. Elke dag verankerden de waarden van deze nieuwe, vrije cultuur zich sterker in mij.

Op een ochtend in maart in 1975 maakte Yeslam me wakker met het nieuws dat koning Faisal was vermoord – doodgeschoten door een van zijn eigen neven. Ik kon zijn gevoel van paniek en gejaagdheid voelen. Hij zei dat er grote opschudding was in Saoedi-Arabië en dat er werd beweerd dat de moordenaar geestelijk gestoord was, maar waarschijnlijk was het een moord uit wraak: de broer van de moordenaar was tien jaar eerder geëxecuteerd wegens deelname aan een islamitisch fundamentalistische opstand tegen het besluit van de koning om televisie in het koninkrijk toe te staan.

Yeslam voelde steeds sterker dat hij naar zijn land moest gaan om te helpen in het familiebedrijf. Hij deed sneller over zijn studie zodat hij eerder kon afstuderen.

Ik was intussen bevallen – de belangrijkste gebeurtenis in mijn leven, en een die me voor altijd zou veranderen. Mary Martha was bij me. (Ik had het gevoel dat Yeslam niet in staat zou zijn om de bloederige details te verwerken.) De baby was een meisje.

Veel later kwam ik erachter dat Yeslam gewoon wegliep toen hij hoorde dat het een meisje was – hij draaide zich om en liep het ziekenhuis uit. Ik was uitgeput op dat moment. Toen ze me later naar mijn kamer brachten en me mijn baby gaven, wist ik alleen maar dat Yeslam er was. Ik dacht dat hij misschien wel een beetje teleurgesteld zou zijn maar ik was ervan overtuigd dat we ons aan zouden passen.

Toen moesten we een naam kiezen. We hadden al een jongensnaam – Faisal – gekozen, maar we waren er nooit toe gekomen om er een te kiezen voor een meisje. Yeslam koos voor Wafah, de gelovige.

Dat we een meisje kregen was al een verrassing voor me; en wat een aardige verrassing zou ze blijken te zijn. Wafah was mooi, echt ongebruikelijk knap voor een pasgeboren kindje, en als ik naar haar keek, kon ik onmogelijk teleurgesteld zijn. Ik werd overweldigd door liefde en was volkomen gefascineerd. Yeslam was soms wat humeurig. Het leek wel alsof hij jaloers was dat de kleine Wafah mij zo inpalmde. Hij had veel minder aandacht voor Wafah dan ik, terwijl hij toch uit een groot gezin kwam. Hij deed alsof hij blij was als ik hem wees op de nieuwe dingen die ze kon doen – op haar tenen zuigen of naar speelgoed reiken – maar ik moest hem er wel altijd op wijzen.

Al snel na Wafahs geboorte nam Mary Martha me mee uit winkelen. Ik dacht dat het Yeslam zou helpen een band te krijgen met de baby als ze een tijdje alleen zouden zijn. Wafah moest nog steeds elke twee uur worden gevoed en dus raceten we overal naartoe om babykleertjes te kopen. Toen we terugkwamen hield Yeslam haar voor me, als een pakketje. 'Ze is nat,' zei hij. 'Je moet haar verschonen.'

Yeslam was zo onnozel, mijmerde ik. Was het niet in hem opgekomen om haar zelf te verschonen? Ik voelde tederheid voor hem. Dat hij zich ongelukkig voelde, gaf mij een nog zelfverzekerder en bekwamer gevoel in mijn nieuwe rol van moeder.

Voor mij was Wafah een wonder. Voor de eerste keer in mijn leven was ik volkomen verantwoordelijk voor een ander menselijk wezen. Zoals alle nieuwe moeders beloofde ik mezelf dat ik niet dezelfde fouten zou maken als mijn eigen moeder. Ik zou het karakter van mijn baby respecteren, haar vrij op laten groeien om de persoon te worden die al in haar volmaakte lichaampje besloten lag.

Ik wilde geen kindermeisje inhuren, hoewel we in die tijd wel een dienstmeisje hadden om te koken en schoon te maken. Ik was degene die 's nachts opstond om Wafah te voeden, hoewel Yeslam degene was die mopperde. Ik zette Wafah naast me neer en praatte de hele dag tegen haar. Ze keek met een heldere blik naar me alsof ze elk woord begreep.

Ik had er echt plezier in om met mijn baby in haar nieuw Amerikaanse buggy door het park te wandelen. Ik speelde met haar in de zon, rook haar heerlijke babylucht in de huid-plooien van haar hals. Ze was een koppig klein ding met een geweldig sterk karakter. Toen ze gespeend was weigerde ze nog maandenlang ook maar iets anders te eten dan kant-en-klare kalkoen met rijst-maaltijden van het merk Gerber en zelfs Mary Martha's uitstekende zelfgemaakte eten kon haar niet bekoren.

Ik overspoelde ons huis met muziek – Cat Stevens, Shirley Bassey, Charles Aznavour, Jacques Brel – en danste met mijn mooie meisje rond in de huiskamer. Ze viel in slaap bij de klanken van Tsjaikovski op haar eigen hifi-installatie, omge-ven door een collectie speelgoed waar een warenhuis zich niet voor hoefde te schamen. Niets was te goed voor mijn Wafah.

Zelf ging ik nooit meer terug naar de universiteit, maar ik leefde met elke scriptie en elk examen van Yeslam mee, nu hij in ijltempo door de studiestof racete. Hij was snel en doortas-tend. Ik bewonderde zijn intelligentie, zijn zelfbeheersing, hoe hij ingewikkelde feiten snel begreep. Naarmate zijn afstude-ren dichterbij kwam, namen zijn plannen om ons mee terug te nemen naar Saoedi-Arabië vastere vormen aan. Toen na het olie-embargo van 1973 de prijs van ruwe olie in een paar maanden steeg van ongeveer drie naar twaalf dollar, stroomde het geld Saoedi-Arabië binnen. Yeslam was zich ervan bewust dat er vele nieuwe zakelijke mogelijkheden ontstonden en hij wilde er deel aan hebben. Hij zei me dat het geweldig zou zijn voor ons gezinnetje. Ik wist wat dit betekende: dat ik van mijn wens om weer college te gaan lopen moest afzien – en dat ik van veel meer dingen moest afzien; maar in slaap gesust door mijn knusse, vreugdevolle leventje met mijn geliefde kleine Wafah en mijn intelligente, knappe man, ging ik akkoord.

5 Leven met de Bin Ladins

We verhuisden in de herfst van 1976 naar Djedda. Toen we deze keer boven het vliegveld cirkelden, had ik een geschikte dunne zijden Saoedische *abaya* die mijn hoofd, ogen, handen, kortom elke centimeter van mijn lichaam bedekte. Het zware gevoel dat ik verdrongen had kwam echter terug toen ik dat ondoordringbare gaas om mij heen wikkelde, en deze keer was het gevoel sterker. Ik zou niet weer na twee weken weggaan. Dit was geen sluier die ik op een goede dag tot een bal kon oprollen en achter in een kast kon bergen en vergeten. Deze *abaya* zou ik van nu af aan overal dragen. In dit nieuwe, vreemde land zou de *abaya* mijn leven symboliseren.

Jarenlang was het eerste dat mensen mij vroegen als ik in het buitenland reisde: 'Draagt u een sluier?' En als ik met ja antwoordde, kreeg ik altijd een kick van hun verbaasde en verschrikte reactie. De sluier was natuurlijk praktisch gezien ongemakkelijk. Het was bovendien een belediging voor mijn intelligentie en mijn vrijheid. Ik maakte er echter geen groot drama van. Om mijn ongemak in deze eerste dagen te verbergen, accepteerde ik de Saoedische verklaring dat de *abaya* respect voor vrouwen symboliseerde. Bovendien was ik er in wezen van overtuigd dat het tijdelijk zou zijn.

Van nature ben ik een optimist. Buitenlanders stroomden het land binnen en ook Djedda profiteerde daarvan. De bedreigende leegte van de woestijn rond Djedda zou al snel plaats moeten maken voor nieuwe brede wegen en blinkende wolkenkrabbers. Ik ging ervan uit dat de Saoedische samenleving zou toetreden tot de moderne wereld, zoals ook andere culturen dat hadden gedaan.

Ik dacht dat de sluier hier, net als in Iran, al heel snel iets zou zijn waarvan vrouwen konden kiezen of ze hem droegen – of niet. We zouden vanzelfsprekend al snel over straat kunnen lopen, of ergens heenrijden. We zouden alleen kunnen gaan winkelen. Er zouden al snel winkels zijn. We zouden kunnen gaan werken als we daar zin in hadden.

Tot die tijd moest ik me schikken in mijn nieuwe leven en proberen een goede Saoedische echtgenote en moeder te worden. We trokken in bij Om Yeslam en Yeslams jongere zus Fawzia. Ik maakte ook gebruik van Om Yeslams Soedanese chauffeur, Abdou, en we namen nog een Ethiopische dienstbode aan.

Ik probeerde me aan te passen. Langzamerhand leerde ik wat Arabisch, en toen Wafah tandjes kreeg en begon te lopen, vond ik het moederschap tijdrovend. Behalve dat, ging niets in mijn nieuwe leven vanzelf.

Het vreemdste van alles was om deel uit te gaan maken van Om Yeslams stille, rustige leventje, van haar vrouwenwereld. Het voelde als een verdoving. Om Yeslam was een goede vrouw, maar haar enige interesses waren koken en de koran. Ze bad vijf keer per dag en ze leefde in een wereld die strikt was afgebakend door een onzichtbare kooi van traditites.

Het Arabische woord voor vrouw, *hormah*, is afgeleid van *haram*, taboe, en elk moment van Om Yeslams leven was verstrengeld met haar observaties over de regels en rituelen van de islam. Alles leek wel *haram*, of zondig; en als het niet zondig was, dan was het wel *abe*, beschamend. Het was *haram* om muziek te draaien, *abe* om op straat te lopen; *abe* om een mannelijke bediende aan te spreken, *haram* om gezien te worden door een man van buiten de familie. Om Yeslam was een verdraagzame vrouw en haar rustige, kalme gezicht fronste zelden, maar ik maakte uit haar altijd beleefd geuite verbazing haar afkeuring van mijn gedrag op.

Het was natuurlijk bijna altijd *haram* en *abe* voor een Bin Ladin-vrouw om het huis uit te gaan. Een man van buiten de familie mocht onze gezichten nooit zien. Als we al het huis uit gingen dan werden we naar een specifieke plek gereden, door een man. Het duurde maanden voor ik enige kennis had van de indeling van de buurt.

Winkelen was voor bedienden. Als we iets nodig hadden dan moest de huisknecht aan Abdou of een andere chauffeur instructies geven om te gaan zoeken naar het gewenste artikel. En het ging hierbij niet alleen om een badpak. Ook om thee, of maandverband, of wat dan ook. Als we het niet goedkeurden, kwam hij terug met een andere volle koffer. We kozen dan wat uit, hij ging met de koffer terug naar de winkel, ging de prijs na, en keerde weer terug voor het geld.

Ik werd gek van deze rompslomp.

Het systeem dat alle vrouwen opsloot in een net van beperkingen maakte de meest gewone dingen in mijn leven ongelofelijk ingewikkeld. Wafah was gewend aan flesvoeding van Similac. Ik had er een grote voorraad van aangelegd, maar die raakte op. Ik maakte mij zorgen dat ze misschien wel allergisch voor andere merken kon zijn; ik had het gevoel dat ze energie te kort kwam, hoewel de hitte misschien de oorzaak was. Ik was vastbesloten Similac voor haar te vinden. Ik stuurde Ab-

dou erop uit, maar hij kwam telkens terug met gewone flesvoeding, niet de juiste soort.

Die flesvoeding werd een obsessie voor mij. Ik kon me niet
voorstellen dat er in het hele land slechts twee soorten flesvoeding te koop waren. Op een avond zei ik tegen Yeslam dat
hij me absoluut naar de kruidenier moest laten gaan zodat ik
het zelf kon zien. Hij stemde toe.

Ik zou naar de kruidenier gaan! Wat een enorme stap vooruit! Ik kon wel juichen. Abdou en Yeslam reden me erheen, ik
van top tot teen in *abaya*. Yeslam vroeg of ik in de auto wilde
wachten en verdween voor een tijdje. Ten slotte, na tien minuten, bracht hij me naar de ingang.

Ik liep langs een rij van een man of tien die buiten de deur
stonden en die allemaal stug de andere kant op keken. Toen ik
eenmaal binnen was, vervloog al mijn hoop. De winkel was
een sjofel, vensterloos prefab-gebouwtje, stoffig en vol met
kartonnen dozen met blikjes. Het rook er als een pakhuis. Zelfs
de melk vinden was moeilijk, want alles zat in dozen zonder
etiket. Er was amper keus, en er was zeker geen Similac. En
om een volkomen in zwart gehulde vrouw met haar man binnen te laten komen was de winkel leeggemaakt, volkomen
verlaten: geen klanten en geen personeel.

Waar waren ze in hemelsnaam bang voor. Besmetting? Door
een vrouw van wie je gezicht en lichaam niet eens kon zien?
Kon dit echt een teken van beleefdheid en respect van deze
mannen zijn om zich om te draaien omdat ik een vrouw was?
Ik was woedend. Nog maar een paar weken geleden snelde ik
door een helverlichte Californische supermarkt en graaide ik
naar vers fruit en cornflakes voor mijn gezin. Ik ging naar huis
terug met een bitter gevoel van hopeloze heimwee in mijn

maag. Ik had het gevoel dat ik in een buitenaards, parallel heelal beland was.

Ik moest iets te doen hebben. Ik moest lezen. Ik verlangde naar prikkels voor mijn lichaam en geest. De twee televisie-stations zonden de hele dag een imam uit die de koran op-dreunde; en voor de lichtere kost reciteerden kleine jongens, die niet ouder waren dan zes of zeven jaar en die prijzen had-den gewonnen voor hun kennis van de koran, de heilige teksten uit hun hoofd. Buitenlandse kranten werden met een viltstift gereduceerd tot fragmenten: elk commentaar op Sa-oedi-Arabië of Israël, elke foto of advertentie die maar een centimeter liet zien van een arm, been of hals van een vrouw werd door de censors zwartgemaakt. Ik hield de krant tegen het licht om naar de verboden woorden te gissen die door de pen van de censor waren verdoezeld.

Er waren geen boeken. Er waren geen theaters, geen con-certen, geen bioscopen. Er was geen reden om uit te gaan, en we konden sowieso niet uitgaan: ik mocht niet buiten lopen en volgens de wet niet autorijden. Hoezeer ik ook hield van het moederschap, voor Wafah zorgen was niet genoeg om mijn verstand en mijn dagen te vullen.

Ik moest eropuit. Ik zei tegen Yeslam dat ik wanhopig was. Hij begreep het; hij stelde voor dat we een reisje van drie da-gen zouden maken naar Genève om boeken en wat flesvoe-ding te kopen, en om mijn heimwee te verzachten. Zoals vaak tijdens die eerste paar jaar in Saoedi-Arabië vond Yeslam een manier om me gerust te stellen, als ik begon te klagen. Ik leefde ervan op: Yeslam stond aan mijn zijde.

In Genève zag mijn bekende wereld er opzienbarend anders uit. Ik staarde ernaar met andere ogen. Plotseling leek alles wat ik mijn hele leven als vanzelfsprekend had beschouwd, geweldig. Amper vijf uur verwijderd van het bruine, droge, lege land rond het vliegveld van Djedda lag een ingewikkeld landschap vol leven. Er waren zoveel huizen en mensen, zulke rijkgeschakeerde velden en tuinen. Ik merkte dat ik naar de scherpe blauwgrijze bergen staarde en probeerde elke puntige rand te onthouden. Zelfs de bomen in mijn moeders tuin leken heel belangrijk. Ik staarde naar de vormen en de kleuren van de rode herfstbladeren, en absorbeerde ze in mijn geheugen. Het was alsof ik ze voor de eerste keer zag.

Ik kocht stapels boeken en basisbehoeften. Vervolgens bereidde ik me voor op de terugtocht.

Tijdens ons eerste jaar in Saoedi-Arabië moest Yeslam voor zijn eerste baan binnen het familiebedrijf vaak op reis. Hij ging voornamelijk naar Dammam, een snel groeiende haven aan de oostkust die voor de olie-industrie was gebouwd. Om dan twee of drie dagen alleen in Djedda te zijn met Om Yeslam en Fawzia als mijn enige volwassen gezelschap maakte me half gek van verveling, met of zonder stapels boeken.

Ik bracht de meeste dagen alleen door met Om Yeslam. Fawzia liep college aan de universiteit – ze studeerde bedrijfskunde – maar de universiteit leek in niets op wat ik me daarbij voorstelde. Haar 'colleges' waren in werkelijkheid videopresentaties door mannelijke professoren, die niet rechtstreeks college mochten geven, in een strikt afgezonderd klaslokaal met uitsluitend vrouwen. Er was een bibliotheek, maar vrouwelijke studenten moesten boeken schriftelijk aanvragen, en kregen ze dan een week later van een speciaal vrouwenkantoor. Ik zag Fawzia nooit een boek lezen en hoorde haar nooit praten over haar studie.

Ik voelde mezelf wegzinken in lethargie. Ik voelde me verveeld en doelloos als een goudvis die steeds langzamer rondjes zwemt in een volkomen gladde glazen kom, zonder iets te doen, snakkend naar lucht.

De zinderende hitte overweldigde ons allemaal. Overdag verlieten we het huis met airconditioning nooit. Als je in de schemering de tuin in stapte, leek het wel alsof je een oven in liep. De eerste keer dat ik Om Yeslam opgewekt zag, was toen het regende. Op een morgen werden we wakker met een grijze hemel, en iedereen praatte opgewonden over de komende regen. Toen de eerste vochtige druppeltjes vielen, renden Om Yeslam en Fawzia de tuin in. 'Het regent, het regent,' riepen ze. 'Kom naar buiten en kijk eens.' Ik wist wat regen was – eindelijk iets wat ik erg goed wist – maar om ze een plezier te doen, kwam ik te voorschijn. Het natte zand rook onaangenaam, maar ik probeerde vrolijk te doen. Het regende de hele ochtend en de tuin stroomde over, ongeveer dertig centimeter water spoelde om de betonnen muren. Een paar dagen lang was het zand groen, alsof zelfs de woestijn dankbaar was.

Later zou ik ook naar buiten rennen als het regende, uit vreugde over een kleine verandering in de routine van mijn leven.

De zandstormen waren minder plezierig. Scherpe stukjes zand werden opgezweept door een kolkende, snijdende wind. De lucht werd donker en dat duurde soms dagenlang. Zandwolken drongen overal binnen, door gesloten deuren en ramen, in je kleren, je schoenen en je eten. Het was onaangenaam en angstaanjagend; het geluid was onheilspellend. Ik raakte er nooit aan gewend.

Daarna veegde de tuinman het zand terug in de woestijn, een zinloos gebaar dat me altijd tot nadenken stemde. We woonden op een plek die nooit bedoeld was voor menselijke bewoning. Hoewel Djedda aan zee ligt – het is een belangrijke haven – is de woestijn prominent aanwezig, wreed en ontembaar, voortdurend bezig het leven te verdringen. De woestijn kent geen enkele rivier, geen zachte natuurlijke grasvelden, geen warme kleuren.

De woestijn van Saoedi-Arabië is op een bepaalde manier mooi: de golvende zandduinen, het opvallende licht en de wijde, enorme horizon doen me altijd aan de oceaan denken. Maar hij is immens en eentonig – volkomen leeg. Een koninkrijk in de woestijn is een afschrikwekkende plaats. Tot de negentiende eeuw had nog geen Europeaan die enorme, geïsoleerde woestijn die Saoedi-Arabië is, betreden. Voor de mens is het misschien wel het minst uitnodigende land op onze planeet.

6 De patriarch

Sociaal gezien is Saoedi-Arabië middeleeuws, duister en vol zonde en verboden. De Saoedische versie van de islam, het wahabisme, is meedogenloos in het afdwingen van een ouderwetse sociale code. Saoedi-Arabië kent geen ingewikkelde intellectuele cultuur zoals Iran of Egypte. Het koninkrijk was nog geen vijftig jaar oud toen ik er kwam, en het stond – staat – nog dicht bij zijn vroege stammentradities.

Saoedi-Arabië mag dan rijk zijn, binnen de rijke en gevarieerde Arabische wereld is het waarschijnlijk het minst gecultiveerde land, met de meest simplistische en wrede opvattingen over sociale verhoudingen. Aan het hoofd van een familie staat de patriarch; iedereen is hem onvoorwaardelijke gehoorzaamheid verschuldigd. De enige waarden die tellen in Saoedi-Arabië zijn loyaliteit en onderwerping – allereerst aan de islam en vervolgens aan de clan.

Yeslams vader, sjeik Mohamed, was in veel opzichten het archetype van de Saoedische patriarch ondanks dat hij in het naburige Jemen was geboren. Zijn autoriteit was buitenproportioneel; zijn wil was wet. Mohamed was een arme arbeider die in de jaren dertig van de vorige eeuw naar Saoedi-Arabië was getrokken. Hoewel hij niet kon lezen of schrijven was hij steengoed in rekenen. Mohamed, vroom, eerbiedwaardig, nauwgezet en gerespecteerd door zijn werknemers, had een bedrijf opgebouwd dat uitgroeide tot een van de grootste bouwbedrijven in het Midden-Oosten. In 1967 kwam hij op 59-jarige leeftijd om bij een vliegtuigongeluk.

Sjeik Mohameds verhouding met de Saoedische koninklijke familie dateerde uit de jaren dat koning Abdel Aziz, de stichter van het koninkrijk, nog op de troon zat. Volgens een familielegende van de Bin Ladins kon de ziekelijke koning de trappen in een van zijn paleizen niet meer op. Het lukte de werklui van sjeik Mohamed om een speciale verplaatsbare oprit te ontwerpen en te installeren, zodat de koning per auto direct naar de tweede verdieping kon worden gereden.

In een ander familieverhaal bracht sjeik Mohamed een veel lagere offerte uit dan een Italiaans bedrijf dat volgens plan de weg van Djedda naar het heuvelachtige Taef zou aanleggen waar koning Abdel Aziz vaak de zomermaanden doorbracht. Mohamed volgde een muilezel die de reis maakte, bracht het spoor van het dier in kaart en gebruikte dat pad om de weg aan te leggen.

Yeslams vader was een vrijgevig man en hij had de neiging grootse gebaren te maken die op rijkdom duidden. Toen de spilzieke koning Saud op de troon zat, tastte sjeik Mohamed een keer in zijn eigen diepe zakken en betaalde de salarissen van de ambtenaren om het koninkrijk geldproblemen en schande te besparen. Een andere keer werd een groep arme Indonesiërs die een bedevaart maakte naar Mekka in de steek gelaten door hun gids; ze bleven achter zonder retourtickets of contant geld. Ze gingen naar sjeik Mohamed, de grootste werkgever in de regio, en smeekten hem om werk zodat ze genoeg konden verdienen voor de terugvlucht. Hij gaf ze het geld gewoon.

Sjeik Mohamed was slim en moedig. Hij werkte vaak zij aan zij met zijn arbeiders: in tegenstelling tot de meeste rijke Saoediërs was hij niet afkerig van werken met je handen. Hij onderging vrijwillig grote ontberingen. Ik heb geen idee of het verhaal waar is, maar Yeslam vertelde me dat sjeik Mohamed en zijn mannen een keer tijdens de oorlog tussen Egypte en Jemen in de jaren vijftig van de twintigste eeuw, hadden gewerkt onder het vuur van de Egyptische luchtmacht om een luchtmachtbasis af te bouwen in een naburige regio van Saoedi-Arabië.

Dit was een leven op een indrukwekkend grootse schaal. En sjeik Mohamed bracht dat gevoel van grootsheid ook in zijn huiselijke leven. De islam staat een man toe met vier vrouwen te trouwen, en de meeste Saoedi's nemen genoegen met een of twee. Maar net als een aantal prinsen wist sjeik Mohamed zijn hoeveelheid echtgenotes te vergroten door te scheiden van oudere vrouwen om vervolgens, als hij weer een bevlieging kreeg met jongere vrouwen te trouwen. Toen hij stierf had hij tweeëntwintig vrouwen bij elkaar gesprokkeld van wie er eenentwintig nog steeds leven.

Na jaren in Saoedi-Arabië te hebben gewoond kreeg ik van een van zijn meest trouwe werknemers te horen dat hij de avond dat hij stierf juist van plan was om met de drieëntwintigste vrouw te trouwen. Op weg naar haar stortte zijn privé-vliegtuig in de woestijn neer.

Sjeik Mohamed heeft nooit daadwerkelijk op Kilometer Zeven gewoond. Hij woonde met de meesten van zijn vrouwen en kinderen in een enorm huizencomplex in Djedda en hij had ook nog kleinere optrekjes in Riyad, de hoofdstad van Saoedi-Arabië, en elders. Yeslam vertelde me dat Mohamed met zijn favoriete vrouw, Om Haidar, in het grote huis in Djedda woonde, maar dat hij 's nachts als hij daar zin in had beurtelings bij de andere vrouwen verbleef, die in de kleinere huizen verspreid over het ommuurde terrein van zijn complex woonden. Koken en kinderopvang was min of meer collectief geregeld door de vrouwen onderling. De huidige echtgenotes hadden een hogere status dan de gescheiden vrouwen.

Sjeik Mohamed had vierenvijftig kinderen. Ik plaagde Yeslam er vaak mee dat zijn vader concurreerde met koning Saud die meer dan honderd kinderen had. Eigenlijk was dat niet eens een grapje – zelfs in Saoedi-Arabië was zo'n enorme clan een uitzondering.

Alle kinderen van sjeik Mohamed zouden voor altijd in de schaduw van hun vader leven. Voor hen was hij een held – een verre, legendarische figuur, streng en diep religieus. De jongere kinderen zagen hem zelden. Van tijd tot tijd, zo vertelde Yeslam me, gingen hij en zijn broers naar het grote huis voor een inspectie. Hun geduchte vader vroeg hun dan of ze wel hadden gebeden, of om uit de koran te citeren en hij beloonde ze met wat kleingeld of een schouderklopje.

Sjeik Mohamed fascineerde me. Als arme, ongeletterde man uit een van de armoedigste gebieden op aarde – de Hadramat in Jemen – was hij geëmigreerd naar Saoedi-Arabië, een land dat toen nog geen spoor van de moderne beschaving kende. Toch werd hij een van de machtigste mannen van de nog jonge economie van het koninkrijk. Sjeik Mohamed, eens een ongeletterd werkman, werd een soort baron in dat middeleeuwse regime. Hij was de grootste werkgever in het land. Hij was bevriend met en vertrouweling van de koningen. Sjeik Mohamed zou volgens elke standaard in elke cultuur als een genie worden beschouwd.

Helaas heeft geen van zijn kinderen ooit aan hem kunnen tippen. Yeslam kwam nog het dichtst in de buurt vanwege zijn grote intelligentie, maar hij was paniekerig en bang – niet van het formaat van zijn vader. Salem zorgde alleen maar voor stagnatie in het bedrijf, Bakr had geen visie, hij was laag-bij-de-gronds. En Osama? Hoewel Osama de naam Bin Ladin in de hele wereld bekend heeft gemaakt, ga ik er vanuit dat zijn vader niet zou hebben ingestemd met de manier waarop hij dat deed.

Yeslam vertelde me dat Tabet eens werd betrapt op een leugen, waarop hij prompt slaag kreeg van Mohamed. Een andere keer nam Mohamed een van zijn oudere zonen mee naar koning Faisal. De koning nodigde het kind uit om mee te komen en naast hem te gaan zitten in zijn ontvangstkamer – hij stond erop dat de jongen mee zou gaan en wees hem een plek aan waar hij moest gaan zitten – maar Mohamed zei nee. Hij zei nee tegen de koning.

Tijdens zijn leven gehoorzaamden zijn zonen hem altijd en nooit maakten ze onderling ruzie. Het was duidelijk wie de baas was: het woord van sjeik Mohamed was wet.

Sjeik Mohamed was een knappe, energieke man. Ik heb nog steeds een imposant portret van hem in mijn huiskamer hangen. In zijn Saoedische gewaden en donkere bril straalt hij flair, kracht en intelligentie uit. Zijn kinderen hadden veel ontzag voor hem, evenals zijn vrouwen. Ik heb zelden een Saoedische vrouw ontmoet die niet bang was voor haar man. Sjeik Mohamed was geen gewelddadige man, maar hij had absolute macht over zijn vrouwen. Hij kon ze verwaarlozen of, erger nog, van ze scheiden. Ze leefden opgesloten en waren volkomen afhankelijk van hem. In Saoedi-Arabië kan een vrouw niets doen zonder toestemming van haar man. Ze mag het huis niet uit, niet studeren en vaak mag ze niet eens aan zijn tafel eten. Vrouwen in Saoedi-Arabië moeten gehoorzaam en geïsoleerd leven, met de angst dat ze verstoten kunnen worden en dat hun man direct van hen kan scheiden.

Toen ik in Saoedi-Arabië aankwam woonde Om Haidar, sjeik Mohameds favoriete vrouw, nog steeds in de buurt van Kilometer Zeven. Ze was knap en uitermate efficiënt in organiseren; door haar, vertelde Yeslam me, liep alles in het huis op rolletjes en kon zijn vader zich ontspannen. Om Haidar was meer ontwikkeld dan een aantal van Mohameds andere vrouwen. Ze kwam uit Syrië en was erg zelfverzekerd. Ze had een vriendelijke glimlach, haar stem was melodieus. Volgens mij probeerde Om Yeslam bewust zoals Om Haidar te zijn.

Maar Om Haidar was niet de baas van de clan. Al mijn schoonmoeders leken volmaakt harmonische verhoudingen met elkaar te hebben, hoewel er een paar in Riyadh en Mekka woonden en meerdere in het buitenland geboren vrouwen – uit Libanon, Egypte of Ethiopië – heen en weer pendelden tussen hun geboorteland en Djedda, waar hun kinderen woonden. Zelfs Salem, de oudste broer, leek geen bevelen of beslissingen uit te vaardigen hoewel hij erkend was als de leider van de clan, en veel van mijn schoonzussen, vooral die geen broers hadden, van hem afhankelijk waren voor elke belangrijke beslissing in hun leven. Er heerste een soort van algemene, stilzwijgende verstandhouding die de familie bestuurde zonder dat er specifiek een leider aan te pas kwam.

In de tijd dat ik naar Saoedi-Arabië kwam, zeven jaar na het overlijden van sjeik Mohamed, waren er geen duidelijke verschillen tussen de getrouwde en de gescheiden vrouwen. Mohamed was natuurlijk van veel van zijn vrouwen gescheiden; en met een, Om Ali, hertrouwde hij na de scheiding. Hij liet zijn gescheiden vrouwen en hun kinderen gewoonlijk wonen in zijn huizencomplex zolang de vrouwen niet met een andere man trouwden. Als ze dat wel deden – zoals Om Tareg – dan nam hij de kinderen en verdeelde ze onder zijn vrouwen.

Na vele jaren in Saoedi-Arabië gewoond te hebben kwam ik erachter dat Mohamed naast echtgenotes en gescheiden vrouwen er soms voor koos om contracten af te sluiten met semi-echtgenotes. Dit praktiseren van de *serah* – wij zouden het concubines noemen, hoewel dat niet helemaal het goede woord is – wordt in Saoedi-Arabië niet gewaardeerd, je komt het zelden tegen, maar het is altijd legaal geweest. Waarschijnlijk omdat volgens de islam geen enkel kind onecht mag zijn, werd lang geleden al ingesteld dat een man een contract kon afsluiten met een meisje of haar vader voor een soort beperkt huwelijk.

Afhankelijk van het contract kan dat huwelijk een uur duren of een heel leven, maar de semi-echtgenote erft niet van de man. Als er een kind wordt geboren is het wettig. Mohamed liet deze moeders ook in zijn huizencomplex wonen en hij behandelde die kinderen precies hetzelfde als de andere.

In Saoedi-Arabië mag een man zich ontdoen van zijn kinderen als hij daar zin in heeft, maar als sjeik Mohamed een van deze vrouwen om welke reden dan ook verstootte, hield hij altijd het kind. In Saoedi-Arabië mag een man over een kind beschikken zoals het hem uitkomt. Het gaf me altijd weer koude rillingen als ik met zo'n geval in aanraking kwam. In de loop van de jaren heb ik veel vrouwen ontmoet die geen enkel contact met hun kinderen mochten hebben, zelfs niet telefonisch.

Later zou ik ontdekken dat als een kind de wrede gebruiken en regels aan zijn laars lapt, de patriarch dat kind zelfs kan doden.

7 Leven als een buitenlander

Er viel niet aan te ontkomen dat ik in de loop van de maanden ging wennen aan mijn nieuwe leven. Ik begon over de toekomst na te denken. Ik zat vaak te mijmeren over het opknappen van het huis: ik zat daar dag en nacht opgesloten, vaak weken achter elkaar, en de inrichting was echt abominabel.

Ik probeerde mezelf bezig te houden door te lezen en met Wafah te spelen. Op een dag kwam Yeslams jongere broer Osama op bezoek. Tegenwoordig is hij natuurlijk verreweg de beruchtste broer van Yeslam. Toen was hij niet zo belangrijk: een jonge student aan de Koning Abdel Aziz Universiteit in Djedda, gerespecteerd in de familie vanwege zijn streng religieuze overtuiging en kort tevoren getrouwd met een Syrische nicht van zijn moeder.

Al woonde hij niet op Kilometer Zeven, Osama was toch volmaakt geïntegreerd in de familie. Hij was lang, en hij was ondanks zijn tengere postuur een indrukwekkende verschijning – als Osama binnenkwam, dan kon je dat voelen. Hij was niet opvallend anders dan de overige broers, gewoon wat jonger en gereserveerder. De middag dat hij langskwam speelde ik met Wafah in de hal. Toen de bel ging, liep ik met mijn suffe hoofd automatisch naar de deur in plaats van de huisknecht te roepen.

Ik zag Osama en Aisha's zoon Mafouz, glimlachte en vroeg of ze binnenkwamen. 'Yeslam is thuis,' verzekerde ik ze. Maar Osama draaide met een ruk zijn hoofd om toen hij me zag en staarde naar de poort. 'Nee, echt,' hield ik hardnekkig vol, 'kom binnen.' Osama maakte snelle gebaren met zijn hand, wuifde mij aan de kant, mompelde wat in het Arabisch, maar ik begreep echt niet wat hij bedoelde. Mafouz had in de gaten dat ik klaarblijkelijk tekortschoot in de basisprincipes van de sociale etiquette, en hij legde ten slotte uit dat Osama niet naar mijn ontblote gezicht kon kijken.

Ik trok me dus terug in een achterkamertje terwijl mijn bewonderenswaardig vrome zwager mijn man bezocht. Ik voelde me stom en onhandig, alsof ik een vreemdeling was.

Jaren later las ik tot mijn stomme verbazing in de westerse pers dat Osama als tiener in Beiroet de playboy had uitgehangen. Ik denk dat ik dat wel gehoord zou hebben als dat waar was. Een andere zwager, Mahrous, had die reputatie wel: hij jaagde op aardig wat rokken in de tijd dat hij in Libanon studeerde. Later veranderde hij en nu is hij een streng religieuze man. Over Osama heb ik dergelijke verhalen echter nooit gehoord. En de inmiddels beroemde foto's die in Zweden werden genomen van een fors aantal Bin Ladin tienerbroers – daar staat Osama ook niet op. Volgens mij was Osama op dat moment in Syrië. De jongen die in de media werd geïdentificeerd als Osama is in werkelijkheid een andere broer, Salah.

Voorzover ik weet, was Osama altijd een devoot man. Zijn familie bewonderde hem om zijn vroomheid. Nooit heb ik iemand horen mompelen dat zijn vurigheid wel eens een beetje overdreven was, of misschien van voorbijgaande aard.

De Bin Ladins waren allemaal religieus, zij het in verschillende mate. Mannen als Osama en Mahrous waren het vroomst. Bakr was vroom, maar niet onverdraagzaam. Zoals vele andere jonge Saoedische mannen waren Yeslam, Salem en een andere broer, Hassan, wat nonchalanter in het praktiseren van hun geloof, hoewel het leek dat zij met de jaren steeds religieuzer werden.

De Bin Ladin-mannen konden ervoor kiezen om wat flexibeler te zijn bij het naleven van hun religie: dat was hun goed recht. Dat gold echter niet voor de vrouwen. Alle vrouwen in de Bin Ladin-familie waren heel vormelijk en in Saoedi-Arabië stond dat gelijk aan heel devoot. Hassan was getrouwd met een Libanees meisje, Leila – een dom gansje dat vroeger ooit stewardess was geweest. Haar grillige, zorgeloze manier van doen werd algemeen afgekeurd. Leila gedroeg zich niet zoals een Bin Ladin zich dient te gedragen.

Ik probeerde in de smaak te vallen. Ik kon het besef dat Om Yeslam teleurgesteld moet zijn geweest dat haar zoon met een buitenlandse was getrouwd, niet van me afschudden. Ik probeerde mijn heetgebakerde karakter te temperen. Ik probeerde te leren bidden: het rituele wassen; elke vierkante centimeter van mezelf inpakken in een licht laken; het ballet van knielen, buigen en opstaan uit te voeren, altijd in de richting van Mekka, de heiligste plaats van de islam. Op de een of andere manier lukte het me echter nooit om vijf keer per dag te bidden zoals de meeste Bin Ladin-vrouwen.

De Bin Ladins waren als alle andere Saoedi's heel trots op het heiligdom Mekka. Van jongs af aan zijn ze doordrongen van de eer en de verantwoordelijkheid die de zorg voor Mekka, waar de profeet Mohamed door Allah werd geïnspireerd, met zich meebrengt. En de Saoedische vorm van de islam is de meest strenge – zij zeggen de meest pure – vorm die een godsdienst kan hebben. In de achttiende eeuw werd een rondtrekkende prediker, sjeik Mohamed bin Abdul Wahab – een voorstander van een puriteinse islamitische opleving – geïnspireerd door zijn afkeer van de onder het volk ontstane mengeling van de islam met de aanbidding van heilige stenen en bomen en hun relikwieën van heilige mannen. In 1932 werd de krijgsheer Abdel Aziz ibn Saud op zijn beurt door deze sjeik Wahab geïnspireerd om heel Saoedi-Arabië te veroveren en tot een staat te smeden.

Zo werd Saoedi-Arabië het enige land ter wereld dat de naam kreeg van zijn heersende koningen, de al-Sauds. Zij stichtten Saoedi-Arabië met het zwaard en het Woord – en wat hulp van de Engelsen. Hun gezag over een enorm land met geïsoleerd levende bedoeïenenstammen werd verstevigd door het opleggen van absolute gehoorzaamheid aan sjeik Wahabs strenge opvatting van de koran met het doel de heiligheid van Mekka te behouden.

Mohamed bin Ladin was zo vroom en zo geliefd bij de koning dat zijn bedrijf, de Bin Ladin Corporation, de exclusieve rechten kreeg om Mekka en Medina, de op een na heiligste plaats van de islam, te renoveren. Het is moeilijk om onder woorden te brengen hoeveel eer zijn familie hierdoor verwierf. Het was geen wonder dat zijn vrouwen zo godsdienstig waren – hoewel dat voor mij soms moeilijk te verteren was.

De eerste keer ik dat ik naar Mekka ging, was met een vrouwelijke gast van de heersende familie in Koeweit, al-Sabah. Onderweg reden we langs enorme reclameborden die niet-moslims aanspoorden om rechtsomkeer te maken. We kwamen bij een controlepost: Saoedische functionarissen zijn uiterst fanatiek in het tegenhouden van niet-moslims opdat dezen de heilige plaatsen van Mekka niet bevuilen. Het maakte me zenuwachtig. Mijn moeder was als moslim geboren, maar haar beoefening van de islam was twijfelachtig, zeker in het licht van de vroomheid van de Bin Ladins. En mijn vader was een christen – iets dat ik nooit geheim heb gehouden maar waarvan ik altijd heb gedacht dat dat misschien beter was geweest. Ik had zeker wel geleerd hoe ik moest bidden, maar ik had niet het gevoel dat ik een echte moslim was. Hoe dan ook, Abdou reed ons opgewekt door de controlepost – 'Bin Ladin' was alles wat hij tegen de controleur zei, en natuurlijk was dat genoeg. We kwamen precies aan op het moment dat de oproep tot het gebed rondschalde, en ik begon zenuwachtig met de gebedsriten.

Een beambte van de angstaanjagende religieuze politie, de *mutawa*, begon direct tegen me te schreeuwen en ik raakte in paniek. Had ik een of andere cruciale fout gemaakt in het ritueel, iets wat mijn gebrek aan ervaring verried? Zou ik als een oplichter worden verstoten? Maar Abdou lichtte me in dat ik op de plek van de mannen aan het bidden was. Het was nooit in me opgekomen dat we zelfs hier gescheiden zouden blijven. Je krijgt niets voor niets, dacht ik, en ik probeerde mijn plotselinge angst van me af te zetten.

We liepen een eindje door naar het deel van het enorme plein dat voor vrouwen is gereserveerd. We baden. We liepen de zeven rondjes en dronken het water van de Zamzam waar drie millennia geleden Abrahams tweede vrouw, Hagar, door God naartoe was gestuurd om water te zoeken voor haar jonge zoon Ismaël, stamvader van de Arabieren. We raakten de Kaäba aan, de zwarte steen die God aan Abraham heeft gegeven en die vele miljoenen handen voor ons hadden aangeraakt. We zagen de vergrendelde deur die leidde naar de gesloten ruimte, de heilige plaats binnen de heilige plaats – de ruimte die Yeslam en de andere Bin Ladin-mannen mochten betreden om te bidden.

Filosofisch gezien heb ik altijd gevonden dat het niet belangrijk is hoe je tot God bidt of welke teksten je leest – de bijbel, de koran, de thora. Maar in die kolossale, heilige plaats van tradities, waarnaar elke dag een miljard moslims zich in gebed richten, voelde zelfs ik een spirituele prikkel.

Peinzend ging ik terug naar huis. Yeslam begroette mij met grenzeloze vreugde. Het was wel niet de periode van de heilige *hadj*, maar ik had wel de *umra* volbracht, de pelgrimstocht naar Mekka. De *umra* staat iets minder hoog in aanzien en kan worden afgelegd zonder die miljoenen pelgrims die in de *hadj*-tijd in de stad samenkomen. 'Ik heb tegen iedereen gezegd dat je de *umra* hebt gedaan!' snoefde hij. Hij leek zo trots op me. Toen ik hem vertelde over de *mutawa* begon hij te lachen.

We begonnen zo af en toe uit te gaan en bezochten andere stellen. Sommige daarvan waren buitenlandse bankiers en industriëlen die en masse naar Saoedi-Arabië waren gekomen om een graantje mee te pikken van de hoogconjunctuur. Een of twee stellen waren modern denkende Saoedi's die ertegen konden om een ongesluierd vrouwengezicht te zien– en zelfs, nog schokkender, met haar aan dezelfde tafel konden dineren. Deze 'normale' momenten inspireerden me – hoewel ik er vrijwel altijd achter kwam dat dit geen echte Saoedische echtparen waren: steevast kwamen de vrouwen ergens anders vandaan, uit Syrië, Egypte of Libanon.

Op een keer na zo'n diner gebaarde Yeslam tijdens onze late rit naar huis dat ik naast hem voor in de auto moest gaan zitten. En vervolgens zei hij dat ik als ik wilde de sluier voor mijn gezicht kon wegnemen. Ik zat daar en zag duidelijk de straatverlichting. Ongesluierd buiten voor de eerste keer.

Het voelde aan als weer een mijlpaal. Maanden geleden liep ik rond met twee lagen sluier over mijn ogen en mijn hele gezicht; ik moest achter in de auto zitten en niemand sprak me in het openbaar aan. Nu mocht ik eten aan de tafel van een man van buiten de Bin Ladin-familie. Ik zat naast mijn man in de auto en ik kon de straatverlichting zien zonder dat die vervaagd werd door het gaas. Ik had deze kleine overwinningen nodig. Ik klampte me vast aan deze signalen dat er iets ging veranderen. Ik had het gevoel dat ze me vooruit brachten.

Ik realiseer me nu dat de tralies van mijn kooi maar een heel klein beetje bewogen, maar op dat moment leek het alsof de deur naar de vrijheid en de vrije keuze knarsend open begon te gaan.

Soms leek het allemaal zo langzaam te gaan dat ik overvallen werd door moedeloosheid. En toch bleef ik, altijd. Ik besefte dat ik op een bepaalde manier bevoorrecht was. Ik maakte een uniek moment mee in de evolutie van het land. Saoedi-Arabië verwijderde zich met grote snelheid van de Middeleeuwen en de materiële welvaart ging met enorme sprongen vooruit. Enigszins naïef geloofde ik dat de economische vooruitgang ook sociale veranderingen teweeg zou brengen, en daarmee zou het lot van de Saoedische vrouwen ook drastisch wijzigen. Ik dacht dat ik deel uit kon maken van dat doorslaggevende moment in de geschiedenis. Ik was op de cruciale tijd op de cruciale plaats. Het vooruitzicht om getuige te zijn van de verstrekkende sociale veranderingen, die er volgens mij aan zaten te komen, was opwindend.

En toch leek er niets te veranderen voor de vrouwen in de Bin Ladin-familie. Hun leven was zo beperkt, zo bescheiden en flets, dat het mij beangstigde. Ze gingen nooit alleen hun huis uit. Ze deden nooit iets. Hun enige doel in het leven leek om zich nog stringenter te houden aan de meest beperkende regels van de islam. Zelfs al zou ik het proberen, dan nog kon ik niet zo leven en ik streefde er al helemaal niet naar.

Ik had het gevoel dat de Bin Ladin-vrouwen door hun man als huisdieren werden gehouden. Ze werden opgesloten in hun huizen, en soms mochten ze er onder escorte uit bij speciale gelegenheden. De hele dag wachtten ze op de terugkomst van hun man – soms ook de hele nacht – en als hij dan thuiskwam, speelden de vrouwen hun rol als blije, gastvrije partner. Soms kregen ze een schouderklopje of een cadeautje; soms werden ze mee uit genomen, voornamelijk naar elkaars huizen.

Het voorbereiden van die kleine feestjes was de enige bezigheid van de vrouwen; dat, en het uitgebreid opknappen en versieren van hun nette kleren met veel tierelantijntjes dat aan het feestje voorafging. Elk theekransje was hetzelfde. We gingen stijfjes op ongemakkelijke stoelen zitten. Er werd niet over koetjes en kalfjes gepraat of diepgaand gediscussieerd, veel stilte begeleidde de kleine kopjes thee en koffie met verschillende soorten cake. Er werd hoofdzakelijk gesproken over de kinderen, die ondertussen de meeste tijd doorbrachten met buitenlandse dienstmeisjes, en over de koran. Soms hadden we het over kleren.

Ik had de indruk dat geen van de vrouwen ooit las, met uitzondering wellicht van geschriften over hoe je de koran moet interpreteren. Ik heb niet één keer een van mijn schoonzussen met een boek betrapt. Deze vrouwen ontmoetten nooit andere mannen dan hun eigen man, en zelfs met hun echtgenoot spraken ze nooit over belangrijke kwesties. Zij hadden niets te zeggen. Wij spraken over de gezondheid van onze man en onze kinderen, en zij probeerden voortdurend een goede moslim van me te maken. In de loop der tijd ging ik de aanwezigheid van sommigen van hen beschouwen als een welkome afleiding, maar meestal verveelden ze me danig.

Yeslam behandelde mij niet zoals zijn broers hun vrouwen behandelden. Als hij dat wel had gedaan, zou ik het leven in Saoedi-Arabië niet hebben kunnen verdragen. In die tijd was Yeslam heel anders dan andere Saoedische mannen. Hij behandelde mij zoals een westerse man zou doen – min of meer als zijn gelijke. Yeslam betrok me bij zijn leven en gedachten. Hij waardeerde mijn intelligentie en hij vroeg me om advies. We bespraken altijd alles. Hij wilde dat ik zijn partner was, een volwaardig lid van een tweepersoonsteam.

Het werd een soort ritueel – we praatten samen terwijl hij een douche nam als hij om een uur of twee, drie terugkwam van zijn werk. We praatten over hoe zijn dag was geweest, over wat ik gelezen had, over de nieuwsberichten – het leek of we nooit ophielden met praten. Vele middagen en avonden stortten we ons in discussies. Vaak was politiek het onderwerp. Bijna dagelijks nam Yeslam me in vertrouwen over zijn problemen in de Bin Ladin Corporation, veranderingen die hij had gepland, of zijn zorgen over de toekomst van het bedrijf en het vaak onaangename geruzie en de bedekte onderlinge strijd tussen zijn uiterlijk kalme broers.

Yeslam had een vreemde verhouding met zijn broers. Ze vormden naast mij zijn enige gezelschap – hij had geen mannelijke vrienden. Zijn familieleden waren de enige mensen die telden in Yeslams leven. Er bestaat een Saoedisch gezegde dat luidt: 'Ik en mijn neef tegen de vreemdeling; ik en mijn broer tegen mijn neef.' Onder nomaden – en de Saoedische cultuur werd gevormd door woestijnnomaden – is de clan de enige eenheid die belangrijk is. En dus vertrouwde Yeslam zijn broers meer dan de meeste mensen in het Westen hun familie vertrouwen. Hij wist dat hij tot op zekere hoogte op hen kon rekenen. Maar mij kon hij zijn frustraties over zijn clan toevertrouwen – het gekrakeel van zijn broers en hun onderlinge machtsstrijd.

Soms, als we 's avonds aan het kaarten waren, backgammon speelden of samen naar muziek luisterden, wierp ik een blik op Yeslam en dan hield ik mijn adem in. Hij was zo knap met zijn scherpe gelaatstrekken en zachte ogen. En hij had me nodig. Ik wist dat hij van me hield. Voor hem was ik zijn kracht – zijn gelijke –, een volkomen loyale partner, die zichzelf opzijzette en die zichzelf uitvlakte zodat hij vooruit kon.

Wat dat betreft was Yeslam volgens mij uniek in Saoedi-Arabië. De bescheidenheid en onderdanigheid van Saoedische vrouwen zijn diep in die cultuur geworteld. Plezier, gemak, gelijkheid – zoveel dingen die ik vanzelfsprekend vond, waren hier volkomen vreemd. Dit was zo anders dan de manier van leven in Perzië of andere Arabische landen. De Saoedische samenleving staat erg dicht bij haar wortels: de oude codes van de bedoeïenen die als nomaden woonden in een enorme woestijn, die hen isoleerde van de rijke culturen om hen heen. Saoedi-Arabië is een streng en onverbiddelijk land. Soms lijkt het alsof voor veel Saoedi's vrijwel elke vorm van plezier een zonde is.

Ik was destijds erg jong en ik geloofde dat die dingen zouden veranderen. Ik leefde voor Yeslam en Wafah en ik leefde voor de toekomst. Ik dacht dat we met Yeslams intelligentie en de macht van zijn familie konden meehelpen om de dingen te veranderen. Ik greep me vast aan elk teken dat erop wees dat Saoedi-Arabië de moderne wereld in stapte: een opgetilde sluier op straat, een nieuwe vrouwenbank waardoor vrouwen hun eigen bankrekening konden openen, een Engelstalig tv-station of een nieuwe boekwinkel met Engelse boeken.

Ik werd bijna altijd teleurgesteld. Het Engelstalige televisie-station werd streng gecensureerd. Afgezien van nieuws over het meest recente buitenlandse bezoek van de koning, zond het voornamelijk tekenfilms en de politieserie *Columbo* uit: programma's waarin niet gekust werd noch over politiek ge-sproken. De boekwinkel verkocht bijna geen boeken: Saoedi-Arabische douanebeambten lieten geen liefdesverhalen, boe-ken van joden, de meeste boeken over godsdienst, politiek van het Midden-Oosten, of over Israël toe. Het was ontmoedi-gend, maar weer nam ik aan dat het alleen een kwestie van tijd zou zijn voor deze dingen zouden veranderen.

In die tijd kon niemand zich voorstellen dat Saoedi-Arabië door de jaren heen op godsdienstig gebied juist fanatieker zou worden, meer onderdrukkend en conservatiever. Landen doorlopen stadia, net als mensen. Zoveel Saoedische mannen voltooien deze cyclus: als ze jong zijn, zijn ze zorgeloos, ze ne-men uit de westerse cultuur over wat ze aangenaam en leuk vinden. Maar dan trouwen ze. In hun hart hebben ze altijd hun zelfverzekerde en onbuigzame systeem van normen en waarden behouden, en dat komt naar de oppervlakte als ze ouder worden.

Zo ging het met de Bin Ladins in de jaren waarin ik bij hen woonde, en zo verging het heel Saoedi-Arabië in die tijd. En op dit moment gebeurt het nog steeds zo.

Intussen sloot ik een paar echte vriendschappen en dat hielp. Salems jongere broer Bakr was naar Salems vorige woning verhuisd, recht tegenover ons eigen huis. Bakr zelf was nogal afstandelijk; beleefd en aardig, maar zich altijd terdege bewust van zijn hoge rang in de familie Bin Ladin. Ik wist dat Yeslam hem niet erg mocht. Maar Bakrs vrouw Haifa was een heerlijke bruisende vrouw, een blonde, blauwogige Syrische met (op dat moment) twee zonen.

Haifa en ik hadden hetzelfde gevoel voor humor, en onze kinderen waren ruwweg van dezelfde leeftijd. Zij en Bakr hadden een tijdje in Miami gewoond; ze sprak Engels en begreep mijn claustrofobie. Ze was echter jaren eerder dan ik naar Saoedi-Arabië verhuisd, en vanwege haar Arabische achtergrond ging ze veel handiger op in de familie Bin Ladin dan mij ooit zou lukken.

Haifa was anders dan ik, maar ze was een soort bondgenote – mijn Arabische tegenhanger. Ze was ruimdenkend, levendig, vriendelijk, en ik was daar dankbaar voor. Haifa had ook talent voor mime. Ze imiteerde perfect het waggelende loopje van een van de schoonmoeders maar ook mijn eigen scheve gang, met hoge hakken en handtasje onder een half scheve *abaya*. Ze was leuk.

Ik denk dat ik ook voor Haifa een verademing was. Omdat

ze uit de vrijere sfeer van Syrië kwam, had ze net als ik grote problemen met de strikte monotonie van Saoedi-Arabië. Veilig in Haifa's tuin waar we bij haar zwembad lagen te zonnen, gierden we van het lachen over hoe verloederd de schoonmoeders ons zouden vinden als ze onze badpakken zouden zien. We gingen pootjebaden met onze kinderen. En Haifa leerde me, meer nog dan Yeslam, over de etiquette die ik diende te volgen en de diverse huwelijken, begrafenissen en evenementen die ik als Bin Ladin-vrouw moest bijwonen.

De eerste keer dat ik besloot naar Haifa's huis aan de overkant van de straat te lopen en ik die paar meter straat in mijn eentje had overgestoken in plaats van mijn chauffeur te roepen, grijnsde Haifa breed. 'Carmen!' gilde ze. 'De revolutie! Morgen zeggen alle Bin Ladins: "We hebben Carmen op straat gezien!"'

Haifa hield van haar man. Hun huwelijk was niet geheel gearrangeerd: ze hadden elkaar in Syrië ontmoet en ze waren verliefd – iets wat ik zelden bij Bin Ladin-stellen heb bespeurd. In 1978 was Haifa bevallen van haar derde kind, een meisje. Een dag later ging ik haar feliciteren, precies toen Bakr aan kwam lopen met hun twee zoons. Hij zei tegen hen: 'Kus je moeders hand. Ze heeft jullie een zusje geschonken.' Het was formeel, maar wel lief. Ik vond dat het respect uitstraalde. Er was echte liefde in dat huwelijk – een van de weinige huwelijken die ik heb gezien in Saoedi-Arabië waar dat het geval was.

Ik werd ook weer zwanger. Ik was dolgelukkig en ik voelde dat Yeslam dat ook was. Een kameraadje voor Wafah – en deze keer zou het beslist een jongetje zijn. De hele Bin Ladin-clan leek gelukkig toen ze ons grote nieuws hoorden. Van alle kanten werd ik begroet met de kreet: 'Insh'allah, moge je een zoon krijgen!' De baby werd verwacht in juli 1977. Ik vloog een paar maanden voor mijn uitgerekende datum naar Genève om er zeker van te zijn dat ik een goede verzorging kreeg.

De familie Bin Ladin had het recht om de speciale koninklijke familiesuites in de allerbeste Saoedische ziekenhuizen te gebruiken, maar ik vertrouwde de doktoren in Saoedi-Arabië niet echt. De meeste waren opgeleid in Syrië en Egypte, en ze pompten je veel te snel vol met pillen en injecties. De andere Bin Ladin-vrouwen bevielen meestal in Djedda, maar voor speciaal onderzoek gingen ze vaak naar het buitenland, naar Europa of de Verenigde Staten. Een groot deel van onze tijd in het buitenland werd altijd besteed aan medische consulten.

Mijn moeder en zusters zorgden voor me in de laatste weken van mijn zwangerschap. Ik rustte uit in de zachte voorjaarszon en keek naar Wafah die in de tuin van mijn moeder aan het spelen was − zoals ik dat jaren geleden had gedaan in diezelfde tuin. Ik wist dat Wafah zich op haar gemak voelde in het huis van mijn moeder en Yeslam kwam regelmatig op bezoek. Het was een aangename tijd en ik zou er nog vaak aan terugdenken in de harde jaren die volgden.

Mijn verlangen naar een zoon was niet zomaar een bevlieging van de laatste weken van mijn zwangerschap. Voor Saoedische vrouwen is het van essentieel belang dat ze mannelijke nakomelingen voortbrengen. Het is niet alleen een kwestie van persoonlijke status in de maatschappij, hoewel voor vele vrouwen dat wel de kern is: het klinkt beter als de mensen Om Ali tegen je zeggen dan Om Sarah; maar het kan ook een kwestie zijn van gewoonweg overleven.

Als een echtgenoot overlijdt en zijn vrouw heeft alleen

dochters, dan zijn vrouw en dochters volledig afhankelijk van het meest naaste familielid van de overleden man. Hij wordt hun hoeder en moet zijn goedkeuring geven aan alle beslissingen, zoals over reizen, school en zelfs de keuze van een nieuwe echtgenoot. Zelfs op het gebied van erfenissen wordt een familie die alleen uit vrouwen bestaat gediscrimineerd. Als de man overlijdt en alleen dochters nalaat, dan gaat vijftig procent van zijn erfenis naar zijn ouders en bloedverwanten. Zijn vrouw en dochters erven slechts de helft van zijn vermogen.

Alleen als de vrouw zoons heeft, gaat de hele erfenis naar zijn vrouw en kinderen. Is de zoon eenmaal volwassen, dan wordt hij de hoeder van zijn moeder en zusters.

Insh'allah, zou ik een zoon krijgen.

Uiteindelijk begonnen mijn weeën; wat eerder dan gepland. Voor ik naar de kliniek ging om te bevallen belde ik Yeslam, die nog in Saoedi-Arabië was. 'Kun je niet wachten tot morgen, als mijn vliegtuig aankomt?' vroeg hij op nogal humeurige toon. Ik moest wel om hem lachen; hij was zo gewend om zijn zin te krijgen. Dacht hij nou echt dat ik de geboorte van een baby kon vertragen om tegemoet te komen aan zijn schema?

De baby was een meisje, een prachtig meisje. Ze was perfect. Ik hield onmiddellijk van haar. We noemden haar Najia, een naam die ik altijd mooi heb gevonden. De naam betekent hetzelfde als Yeslams naam: beschermd.

Najia was een bron van verrukking. Ze was de gemakkelijkste baby die een moeder zich maar kon wensen. Ze voegde zo veel toe aan mijn leven. Ze was zo lief en breekbaar. En nu ik beter wist wat haar te wachten stond als meisje in Saoedi-Arabië, wenste ik nog meer – in haar belang – dat ze een jongen was geweest.

Soms, als ik naar mijn kinderen keek, vroeg ik me weleens af of twee dochters zo'n punt geweest zouden zijn als Yeslam een Europeaan was geweest. Yeslam, die mijn verwarring wel voelde, probeerde me gerust te stellen. Hij hield vol dat het niks uitmaakte, maar iets vanbinnen zei mij dat het niet zo was. Ik had het gevoel dat ik hem in de steek had gelaten.

Ik wist inmiddels dat het in Saoedi-Arabië van het grootste belang was om een zoon te hebben. Als ik er een had gehad, dan zou ik hem hebben opgevoed met de gedachte dat man en vrouw gelijk zijn. Hij zou zijn zusters beschermen als Yeslam iets zou overkomen. Met een zoon, zelfs zonder Yeslams hulp, zouden we iemand hebben die voor ons opkwam, met waarden die overeenkwamen met de mijne.

Op dat moment kon ik het nog niet weten, maar op een bepaalde manier was het Najia die ons zou redden. Als ik een zoon gehad had zou ik misschien in Saoedi-Arabië gebleven zijn. We waren rijk, gerespecteerd en leidden een comfortabel leven daar. Juist omdat ik twee dochters had was ik gevoeliger voor de treurige, onderdrukkende vorming die Saoedische meisjes moeten ondergaan als zij opgroeiden. Met de zorg voor de kleine Najia en Wafah, voelde ik mij uiteindelijk gedwongen om het land te verlaten. Ik kon gewoonweg niet toekijken hoe mijn dochters zich zouden moeten onderwerpen aan de Saoedische cultuur.

En dus was Najia als door de hemel gezonden. Ze was niet alleen een verrukkelijk schepsel, maar ze gaf me ook de kracht die ik nodig had om ons te bevrijden van Saoedi-Arabië.

8 Twee moeders, twee baby's

In die maand augustus gingen we terug naar Saoedi-Arabië. Het was kokendheet, en een deel van de Bin Ladin-broers had plannen gemaakt voor een dagtrip naar het familielandhuis in Taef in de bergen, vanuit Djedda ongeveer twee uur met de auto. Het was een enorm huis, gebouwd in de jaren vijftig of zestig van de twintigste eeuw, zonder enige charme, maar het was er tenminste een beetje koeler. En het zorgde voor wat afwisseling. Wij vrouwen betrokken met de kinderen de vrouwenvertrekken.

Mijn kleine Najia was pas een paar maanden oud, en Osama's vrouw Najwah – een Syrisch meisje, de dochter van een broer van zijn moeder – had een baby, Abdallah, die ongeveer van dezelfde leeftijd was. Osama's baby begon te huilen en hield dat uren vol. Hij had dorst. Najwah bleef maar proberen hem water te voeren met een theelepeltje, maar het was duidelijk dat dit baby'tje veel te klein was om al van een lepeltje te kunnen drinken. Mijn kleine Najia dronk altijd water uit een flesje en ik bood hem Najwah aan.

'Neem hem, hij heeft dorst,' zei ik tegen haar. Maar Najwah wilde de fles niet aannemen. Ze huilde zelf bijna. 'Hij wil dat water niet,' bleef ze herhalen. 'Hij wil ook de lepel niet.'

Om Yeslam moest me uitleggen dat Osama niet wilde dat de baby aan een fles ging. Najwah kon er gewoon niets aan doen.

Ze zag er zo bedroefd en zo machteloos uit – een kleurloos klein persoontje, erg jong – terwijl ze haar baby wiegde in de kromming van haar arm, lijdzaam kijkend naar zijn ellende. Ik kon er niet tegen.

Het was slopend heet buiten, misschien wel 40 graden. Een baby kan bij een dergelijke temperatuur in een paar uur uitdrogen. Ik kon niet geloven dat iemand echt zijn kleine kindje zo veel zou laten lijden vanwege een of ander belachelijk dogmatisch idee over een rubberen speen. Ik kon niet blijven toekijken terwijl dit gebeurde.

Yeslam kon toch zeker wel iets doen? Ik kon niet naar de mannenvertrekken lopen om hem te vragen om in te grijpen: als schoonzus mocht ik niet ongesluierd de mannenvertrekken in. Een zus die ongesluierd was opgegroeid met haar broers mocht dat wel. Ik smeekte een van de zussen om Yeslam te gaan halen.

Toen Yeslam er was, schold ik op hem. 'Zeg je broer dat zijn kindje pijn lijdt,' zei ik. 'Die baby heeft een fles nodig. Dit moet ophouden.'

Maar Yeslam kwam hoofdschuddend terug. Hij zei me: 'Het heeft geen zin. Zo is Osama.'

Ik kon het gewoon niet geloven. Het achtervolgde me de hele weg terug van Taef naar Djedda. Osama kon doen en laten wat hij wilde met zijn vrouw en zijn kindje: dat was een gegeven. Zijn vrouw durfde hem absoluut niet ongehoorzaam te zijn: dat was ook een gegeven. Erger nog, niemand zou zich ermee durven te bemoeien. Zelfs Yeslam scheen het ermee eens te zijn dat Osama's gezag over zijn huishouden absoluut moest zijn. De kracht en het gezag die ik in Yeslam had gezien en bewonderd, leken in de hete Arabische lucht te vervliegen.

Toen Yeslam door de heuvels terugreed naar Djedda, zat ik gesluierd en met gebalde vuisten in de auto; zwijgend staarde ik naar de lege buitenwereld. Ik had het gevoel dat ik stikte.

Ik weet zeker dat Osama zijn baby niet wilde verliezen. Het was niet alsof hij niets om het kind gaf. Maar voor hem was het lijden van de baby minder belangrijk dan een principe waarvan hij waarschijnlijk dacht dat het stamde uit een of ander zevende-eeuwse vers in de koran. En Osama's familie had gewoonweg groot ontzag voor zijn godsdienst-ijver en was te bang om er iets van te zeggen. Voor hen gold, net als voor de meeste Saoedi's, dat religieuze overtuigingen nooit te fanatiek konden zijn.

Op dat moment realiseerde ik me hoe machteloos ik was geworden. Ik zag mezelf in Najwah's situatie. Sinds Najia's geboorte bleef één cruciale vraag de hele tijd aan me knagen. Wat zou er van mij en mijn babydochtertjes terechtkomen als Yeslam er niet meer was? Elke vrouw in Saoedi-Arabië heeft een voogd die bijna alles wat ze doet moet goedkeuren. Als Yeslam er niet zou zijn, en als ik geen zoon zou hebben die die rol op zich kon nemen, dan zou mijn voogd en die van mijn dochters, een van Yeslams broers zijn. Ik zou voor alles van die man afhankelijk zijn.

Tenzij ik een zoon had, zou ik de goedkeuring van een zwager moeten hebben om het land, of zelfs Djedda, uit te gaan. Ze zouden Wafah en Najia elke vorm van onderwijs kunnen ontzeggen of ze kunnen uithuwelijken aan iemand van hun keuze, zonder mij ook maar iets te vragen. Mannen als Osama konden op een kwade dag de baas over mij en mijn kinderen spelen. Er zou helemaal niets zijn wat ik ertegen kon doen.

Die hele lange rit terug naar de stad dacht ik over moeders

van wie ik wist dat ze werden gedwongen zonder hun kinderen te leven. Het was een oneindige reeks van vrouwen die geen zeggenschap over hun leven hadden en die nergens verhaal konden halen. Zo was daar bijvoorbeeld Taiba, een van Yeslams zusters, een beklagenswaardig figuur. Haar man was van haar gescheiden, en hij had haar twee kleine dochtertjes, vier en zeven jaar toen we elkaar voor het eerst ontmoetten, gehouden. Taiba mocht hen alleen op vrijdagmiddagen zien. Om Yeslam zei dat de kinderen bittere tranen huilden elke keer als Taiba hen moest verlaten. Taiba was een droevige, fletse vrouw – op de een of andere manier oud en versleten, hoewel ze onder de dertig moest zijn.

Dan had je Ula Sebag, een goede vriendin van mij die was getrouwd met een Palestijnse Amerikaan die op de Amerikaanse ambassade werkte. Ula was Zweedse en was eerder getrouwd geweest met een Saoedi en van hem gescheiden. Ze was van plan geweest haar twee jaar oude zoontje bij zich te houden. Hoewel een man ervoor mag kiezen om zijn kinderen te houden nadat hij een vrouw heeft afgedankt, is het gebruikelijk om een klein kind bij zijn moeder te laten blijven. Maar op een middag in Beiroet, bij de kleermaker, liet Ula de hand van haar zoon even los. Een paar minuten later was hij weg, gekidnapt door zijn Saoedische vader. Ula heeft haar zoon nooit meer gezien, ondanks dat ze heeft gesmeekt om slechts één bezoekje.

Najia, een ander zus van Yeslam, trouwde haar man net voor ik in Saoedi-Arabië aankwam. Nadat hij van haar was gescheiden zag ze haar vier kinderen nooit meer. Ik smeekte haar: 'Waarom doen je broers er niets aan?' Najia glimlachte alleen maar naar me – 'Ach, Carmen' – alsof ik een soort dorpsgek was. Je kon nooit iets slechts zeggen over de broers. En een bevel van een man kon niet in twijfel worden getrokken.

Het vrat aan me. Ik voelde een loden last van binnen. Wat als Yeslam precies op dat moment, op de terugweg naar Djedda, een ongeluk zou krijgen? En als hij er niet meer was om mijn geringe, nu bittere vrijheden te beschermen? Wat zou dan het lot zijn van mijn dochters als Saoedische vrouw? Wie zou beslissen over hun leven? Zou het Salem zijn? Bakr? Ibrahim? En wie kon zeggen wat er van deze mannen zou worden als ze ouder werden en macht kregen? Ik zou een soort bedelares worden, volkomen afhankelijk van hun grillen, terwijl zij het leven van mijn kinderen tot in de kleinste details zouden regelen.

Voor de eerste keer voelde ik tussen Yeslam en mijzelf daadwerkelijk een kloof, over iets dat voor mij meer betekende dan al het andere in de wereld. Als ik gerustgesteld wilde worden over iets dat mij kwelde, leek hij afwijzend te reageren. Ik had hem nodig om een manier te vinden om het probleem op te lossen — een plan of een soort routebeschrijving die mij in geval van een tragedie de oplossing zou aanreiken waardoor ik altijd de zeggenschap over mijn kinderen zou hebben. Ik wilde dat hij me zou zeggen dat hij voor ons zou zorgen — ervoor zorgen dat we altijd veilig zouden zijn voor de grillen van die mannen. Voor mij geldt dat een man zijn familie beschermt, vooruitdenkt, voorzorgsmaatregelen treft voor hun veiligheid.

Maar voor Yeslam leek het niet belangrijk te zijn. Hij kon met geen mogelijkheid begrijpen hoe diep mijn angst zat. Toen ik dat uiteindelijk in de gaten kreeg werd die angst alleen nog maar groter.

Plotseling had ik het gevoel dat ik alleen stond. Ik had hulp nodig. En ik was volkomen machteloos.

Niets was meer hetzelfde na die dag in Taef. Mijn hoop op een vrijere wereld in de toekomst, waar vrouwen op zijn minst iets over hun kinderen te zeggen zouden hebben, werd door de dogmatische, wahabistische voorstelling van de islam voorgoed stukgeslagen en begraven in het Arabische woestijnzand. Angst en eenzaamheid kleurden op het emotionele vlak alles wat ik de komende jaren zou zien en meemaken. Hoewel ik probeerde om me te gedragen alsof alles normaal was, droeg ik nu overal en altijd een ongerust gevoel met me mee. Ik was geen zorgeloze mama meer. De toekomst had nu een bittere smaak.

9 Mijn eigen hoofdgevangene

Ik probeerde de paniek te verdringen. Hoewel ze zolang ik in Saoedi-Arabië woonde in mijn achterhoofd bleef knagen, moest ik toch doorgaan met mijn leven. Ik leidde mezelf af met een nieuw project waar ik al lang naar snakte. Om Yeslam en Fawzia hadden besloten het huis te verlaten en Yeslam had hun een perceel land naast het onze gegeven om hun eigen huis te bouwen. Nu Yeslam en ik twee kleine baby's hadden waren we een echt gezin en kon ik proberen voor ons een echt thuis te creëren, ons eigen thuis.

Ik huurde een kok, omdat ik geen zin had om net als Om Yeslam in mijn keuken te werken. Ik maakte plannen om muren af te breken en onze donkere, slecht ingedeelde kamers ruimer te maken. Ik ontwierp een nieuwe keuken die aan het huis grensde, grote glazen schuifwanden die de huiskamer een open karakter gaven en nieuwe verblijven voor de twee vrouwelijke bedienden.

Onze mannelijke bedienden, de huisknecht, de kok, de tuinman, de portier en onze twee chauffeurs, woonden in een afzonderlijk gebouw naast de poort. Op een middag kwam ik erachter dat de huistelefoon niet werkte en ik ging naar hun woongedeelte om Abdou, mijn chauffeur, te roepen. Toen ik mijn hoofd om de deur stak, was de aanblik dermate smerig dat ik vond dat ik dat nader moest onderzoeken. Toen de bedienden in hun woning bij Bakrs huis naar een voetbalwedstrijd keken, vroeg ik Abdou om bij de deur te posten en ervoor te zorgen dat niemand me volgde. Ik kon het risico niet nemen dat ik alleen met een van de mannelijke bedienden in hun slaapkamer werd aangetroffen. Toen ik snel hun woongedeelte inspecteerde, ontdekte ik een keuken die ongelofelijk smerig was en stonk; de muren waren zwart van het roet. Zelfs de slaapkamers waren vies.

Het gebouw stond op mijn eigen erf, toch had ik het gevoel dat ik op verboden terrein kwam. Geen enkele vrouw had daar ooit een voet binnengezet. De mannen die er woonden gingen misschien eens in de twee jaar naar hun vrouw en hun gezin. Ze minachtten wat ze als vrouwenwerk beschouwden, en hoewel ze mijn huis schoon moesten houden, leefden ze in hun eigen kamers bijna als beesten. Ik was met afschuw vervuld door wat ik binnen de muren van mijn eigen erf toevallig had ontdekt. Ik kocht verf en gaf de mannen geld voor nieuwe meubels; ik stond erop dat ze gingen opruimen!

Intussen ging ik door met het opknappen van ons huis. Het was een verademing, maar ik had de omvang van de uitdaging niet voorzien. Meubels kopen was bijna onmogelijk: er waren geen winkels. Ten slotte kwam ik erachter dat een Libanese vrouw die getrouwd was met een Saoedi een soort meubelwinkel had opgezet op de eerste verdieping van haar villa, met moderne meubels die ze kocht op haar reisjes naar Europa. Het was een vreemde winkel, half huis, half meubelopslagplaats, maar ik wist er nieuwe, dikke roomkleurige vloerbedekking uit te pikken. De lelijke donkergroene kamerbrede vloerbedekking moest ervoor wijken.

Hoe leg je eigenlijk tapijt in je eigen huis? Omdat ik niet

mocht worden gezien door de mannelijke werknemers en ook niet met hen mocht praten, moest ik er maar van uitgaan dat ze hun vak verstonden, en ik moest op Yeslams secretaris vertrouwen dat hij het team leiding zou geven. Ik berustte in deze duidelijke verspilling van zijn tijd en energie, bracht hem op de hoogte, en toen de werklui arriveerden, stemde ik ermee in om me voor de rest van de dag terug te trekken in een achterkamertje. Het was stoffig, lawaaierig, en de kinderen waren lastig.

Toen ik die avond te voorschijn kwam, zag ik een janboel. Het tapijt was haaks op onze grote nieuwe ramen gelegd, zodat elke naad duidelijk zichtbaar was. Het zag er geen haar beter uit dan het prullige oude groene tapijt.

Ik vertelde Yeslam dat het werk over moest; hij zuchtte, en de volgende ochtend instrueerde hij de werklui om het tapijt los te halen en opnieuw te leggen. Ondertussen zaten de kinderen en ik weer in ons klooster. De volgende avond waren de naden van het tapijt minder goed zichtbaar, maar ze hadden een gescheurd stuk exact in het midden van de vloer gelegd, precies waar het het duidelijkst zichtbaar was. Ik wilde in geen geval jarenlang tegen deze onmiskenbare fout aankijken. En dus zei ik tegen Yeslam dat het weer moest worden overgedaan.

Ik weet niet zeker of Yeslam wel wist waar ik het over had. Zeker was wel dat hij gefrustreerd was: hij had heel wat betere dingen te doen, en omdat hij ook in het Westen had gewoond, vond hij dat gedoe bijna net zo vermoeiend als ik. En dus zei hij de volgende ochtend: 'Ga maar. Vertel het ze zelf maar.'

Dit was écht een gigantische stap. Het was ongehoord dat

een Bin Ladin-vrouw met een mannelijke werknemer sprak, een buitenstaander, niet eens een bediende in het huishouden, praktisch een vreemdeling van de straat. Ik trok mijn *abaya* over mijn hoofd en lichaam, maar bedekte mijn gezicht niet met de ondoordringbare gezichtssluier van zwart gaas – ik moest goed kunnen zien. En toen verscheen ik uit mijn achterkamertje om de werklui te ontmoeten en ze te vertellen wat ze moesten doen.

Ze keken totaal niet naar me. Ik vertelde ze dat ze het tapijt opnieuw moesten loshalen. Ze luisterden niet naar me. De Soedanese man die weer tapijt aan het leggen was, ging gewoon door. Ik herhaalde mezelf. Ik ging harder praten. Ten slotte draaide hij zijn hoofd een klein beetje, maar keek me nog steeds niet aan. 'Ik accepteer geen bevelen van vrouwen,' snauwde hij.

Pas toen Yeslams secretaris kwam en er herhaaldelijk op aandrong dat ik de baas van het werk was en dat hij moest luisteren naar wat ik zei, werd uiteindelijk het inmiddels vuile en onhandelbare tapijt gelegd. Later, in mijn slaapkamer, kookte ik van frustratie. Ik wist niet of ik nu moest lachen of huilen. Als ik ook maar een vinger wilde verroeren in deze wereld, leek dat door een man te moeten worden geregeld. In mijn hele leven had ik me nog nooit zo afhankelijk gevoeld.

Maar ik troostte mezelf: het leven ging veranderen. Overal om ons heen verrezen nu gebouwen. Toen ik voor de eerste keer naar het Bin Ladin-complex op Kilometer Zeven ging, lagen de huizen er volkomen geïsoleerd; de woestijn begon precies achter mijn tuin. Nu was Djedda een kolossale bouwput geworden die zich langs de weg naar Mekka tot ons uitstrekte. Donkey Square met zijn smerige, donkere kruidenierswinkels werd veranderd in Dome Square met een enorme, moderne openbare ruimte die best mooi was. Elke keer als ik terugkwam van een verblijf in Genève, waren er weer delen in de stad die ik niet herkende.

In fysiek opzicht was Saoedi-Arabië dus veranderd. Enorm veranderd. Nergens in de wereld is de ontwikkeling zo snel gegaan als in Saoedi-Arabië gedurende de eerste vijf of zes jaren dat ik er woonde. Een halve eeuw geleden wikkelden de mensen zich 's avonds in natte lakens om toch een beetje te kunnen slapen in de hitte. Nu leek het wel of iedereen airconditioning had. Overal zag je autodealers; bij sommige kon je zelfs kamelen inruilen bij aankoop van een nieuwe Toyota.

Omdat het land werd overspoeld door oliedollars leek het wel of de Saoedi's niet genoeg konden uitgeven.

De eerste modezaken schoten uit de grond; er werkte uitsluitend vrouwelijk personeel waardoor je je gezichtssluier af kon doen om naar de kleren te kijken, of je even uit kon kleden om te passen. De vrouwen permitteerden zich de meest waanzinnige dingen. Onder hun sluier waren de jonge vrouwen vaak opgemaakt als filmsterren, en droegen ze de laatste Europese mode.

Kappers kwamen nog steeds op huisbezoek: het haar was een belangrijke bezigheid: eerst weggestopt om vervolgens op een erotische manier uitsluitend aan de echtgenoot te worden getoond. Wij vrouwen bleven bijna volkomen afgescheiden van de mannenwereld leven. De winkels waren nu tot de nok toe gevuld met de geneugten uit de moderne wereld, zoals elektronische snuisterijen en dure gympen. Toen dook er plotseling een Safeway supermarkt op in het stadscentrum.

Het werd het summum van opwinding: winkelen in Safeway. We werden er met meerdere vrouwen tegelijk naartoe gebracht door onze mannelijke chauffeurs. (De Bin Ladin-vrouwen leken zich alleen buitenshuis nooit helemaal op hun gemak te voelen .) Daar staarden we met open mond naar de schappen. Elk modern product kon je er kopen – en vond gretig aftrek. We vulden het ene karretje na het andere met Jell-O, Campbell's soep, Zwitserse kaas en chocolaatjes. Het brood van de bakker zat nog steeds vol met graanklanders – ik stond erop dat mijn kok brood leerde bakken – maar nu hadden we tenminste stukjes ananas en echte melk. Ze smaakten naar vooruitgang.

Inmiddels was ik gewend aan mijn *abaya* en zijn omslachtige plooien, maar af en toe ging het nog mis. Op een dag was ik, begeleid door mijn chauffeur Abdou, aan het winkelen toen ik over het zwarte doek struikelde. Ik tuimelde de trap af en op de een of andere manier lukte het me mezelf op te rollen in de plooien van het gewaad. Ik zat als een mummie in mijn *abaya*, ik kon met geen mogelijkheid opstaan. Ik bracht mijn hoofd een beetje omhoog; ik zag Abdou die verlegen glimlachte. Hij durfde me niet te naderen om me te helpen bij het opstaan. Ik lachte ook – ik zag het komische van de situatie wel in – en stuntelig lukte het me zonder zijn hulp overeind te komen.

De koorts van de consumptiedrang sloeg zelfs over op de zo serieuze Bin Ladin-vrouwen; mijn schoonzussen begonnen nu ook hun huis op te knappen, maar de meubels die zij kozen waren schreeuwerig en opzichtig, afschuwelijke imitaties van de dingen die ik zorgvuldig had uitgezocht. In Fawzia's huis was alles glimmend, blinkend, maar slecht gecombineerd. De plastic bloemen waren gebleven. Je kon de leidingen in de badkamer zien; het handwerk was knullig. Fawzia en de anderen hebben me nooit een complimentje gegeven voor het huis dat ik opnieuw had opgebouwd, omdat ze vonden dat ik hun bewondering niet waard was. Ze kopieerden me en toch speelden ze de baas over mij. Het kwam altijd neer op één ding: zij waren Saoedi's, ik niet.

Ik ben een verwoed lezer en ik was inmiddels een behoorlijke bibliotheek aan het opbouwen. Ik bracht kratten vol boeken uit Genève mee: de gevreesde douanebeambten waren niet moedig genoeg om de bagage van een Bin Ladin te doorzoeken op literaire smokkelwaar. Ik las over politiek, economie, biografieën, filosofie – alles wat ik te pakken kon krijgen. Op een keer las ik een weekbladartikel over het besnijden van vrouwen – de gruwelijke praktijk waarbij de geslachtsdelen van meisjes worden verminkt en die nog steeds gebruikelijk is in Egypte en delen van West-Afrika.

Om Yeslam was in de keuken, en ik was zo ontdaan door wat ik had gelezen dat ik het er bij haar uitflapte. Ik denk dat ik getroost wilde worden. Haar reactie had ik zeker niet verwacht. Ze glimlachte tegen me en zei: 'Het is niet zo beroerd, weet je. Er komt een Egyptische vrouw, en het is maar een klein sneetje, echt maar een klein sneetje. Het meisje is erg jong. Het doet niet erg veel pijn.'

Was Om Yeslam een van die vrouwen die zo barbaars waren verminkt? Fawzia? Mohameds oudste dochter Aisha? Hoeveel van sjeik Mohameds vrouwen en dochters liepen er rond met dat afschuwelijke emotionele en fysieke litteken, nog afgezien van al hun andere geheimen? Kwam er geen eind aan de pijn die Saoedische vrouwen moesten lijden? Ik rende naar mijn baby's en omhelsde ze lang. Mijn volmaakte kleine meisjes.

Omdat we wat meer bezoeken af gingen leggen, begon ik

langzamerhand het begin van sociale vooruitgang te proeven. Jongere, moderner denkende Saoedi's gingen de naleving van hun tradities wat versoepelen. Een paar vrouwen – later steeds meer – begon die ondoorzichtige zwarte gezichtssluier af te doen. De vrouwen liepen door de winkelcentra met ontbloot gezicht, hoewel ze wel allemaal nog steeds de *abaya* over het haar en het lichaam moesten dragen. Zelfs Om Yeslam deed haar gezichtssluier niet meer voor in aanwezigheid van haar chauffeur. Ze begon hem zelfs rechtstreeks aan te spreken.

Intussen zwoer ik dat ik mezelf zou zijn in mijn eigen huis. Het leven buitenshuis was verre van normaal, maar ik zou mijn huishouden op mijn manier runnen. Het zou mijn schuilplaats, mijn veilige haven zijn.

Ik beschouwde de bedienden als normale mensen die echter in andere omstandigheden leefden, en ik probeerde ze te begrijpen. Ik weet dat de bedienden me aardig vonden: ik was beleefd en blafte ze niet af zoals de andere vrouwen; mijn kinderen zeiden alstublieft en dank u wel. Hoewel ik misschien wel veeleisend was, heb ik nooit iemand beledigd. Dat was ongebruikelijk en werd daarom uitgebreid becommentarieerd. De Bin Ladins zagen hen als objecten – ze deden wat ze moesten doen of ze waren stom.

Ik vroeg onze oude Pakistaanse portier eens na een zandstorm om het marmeren terras dat we buiten het huis hadden aangelegd schoon te maken. Hij pakte de nieuwe zwabber die ik had aangeschaft, maakte hem nat, en begon cirkelende bewegingen te maken. Het resultaat was modderige cirkels. Ik herhaalde mijn verzoek; het resultaat was hetzelfde. Ik geef toe dat ik harder ging praten – ik was geïrriteerd. Ik vroeg hem wat hij nou niet precies snapte aan deze eenvoudige opdracht, maar direct hield ik mezelf tegen. Wat wist deze arme man nu van dweilen? Hij had het grootste deel van zijn leven op een vloer van aangestampte aarde gewoond. Dus schopte ik mijn gympen uit, rolde mijn broekspijpen op en liet hem zien hoe hij moest dweilen, in rechte lijnen.

Net op dat moment kwam Yeslam eraan. 'Wat ben jij aan het doen?' schreeuwde hij woedend tegen mij. Ik rende naar binnen. Ik weet niet wat erger was – mijn enkels aan een man laten zien of de vloer dweilen. Een Bin Ladin-vrouw doet geen van beide.

Ik vond het incident nogal amusant, maar bij andere gelegenheden was ik wat minder verzoeningsgezind. Op een dag zag ik Yeslams Jemenitische chauffeur met draaiende motor voor ons huis op ons wooncomplex geparkeerd staan. Zelfs van een paar meter afstand voelde ik de hitte van de motor en rook ik een brandlucht. Ik zei: 'Zet de motor af, hij raakt oververhit.' Maar Yeslams chauffeur negeerde mijn bevel. 'Ik moet de airconditioning aanhouden voor sjeik Yeslam,' zei hij. Toen ik bleef aandringen, voegde hij eraan toe: 'Ik accepteer geen orders van vrouwen.'

Dat was zo beledigend en absurd – de auto stond op het punt in brand te vliegen. Ik schreeuwde: 'Als sjeik Yeslam er niet is, ben ik de baas!' Bakr hoorde het tumult vanuit zijn huis aan de overkant en kwam op ons af om tussenbeiden te komen. Het hoeft geen betoog dat de chauffeur direct de motor afzette.

Het leven ging door. We legden een tennisbaan aan. Ik had zo'n zin om te bewegen. Yeslam had in Los Angeles leren tennissen; ik bestelde tientallen rackets en schoenen in elke maat. We begonnen mensen uit te nodigen voor een partijtje tennis op de donderdagavonden.

Dit was weer een poging om een normaal leven te leiden. Ik zou normale kleren gaan dragen; we zouden entrecôte van de barbecue en bier serveren, net als in Amerika. Het was een beetje gewaagd om alcohol te kopen op de zwarte markt – alcohol is verboden in Saoedi-Arabië – maar het ambassadepersoneel voerde drank in via hun diplomatieke post en de chauffeurs dreven een ondergronds handeltje. Abdou, mijn chauffeur, kocht bier van de chauffeurs van een Afrikaanse ambassade. Wij zaten veilig: de religieuze politie durfde nooit de huizen van de prinsen of Bin Ladins te inspecteren.

Ik was de enige vrouw in de familie Bin Ladin die thuis mannen ontving. Haifa zei altijd: 'Yeslam komt tenminste thuis. Hij brengt tijd met je door. Hij praat met je. Hij laat je je eigen leven leiden.' Haifa was niet jaloers. Ze was blij voor me en wees me op punten waarop Yeslam bijzonder was. Ze wilde de wereld niet uitdagen op de manier die ik nodig scheen te hebben. Ze probeerde me te helpen me aan te passen aan mijn Saoedische leven – en gelukkig te zijn.

Mijn partijtjes op de donderdagavond zorgden ervoor dat ik niet gek werd, denk ik. Er kwamen buitenlanders: mensen van de ambassade, westerse zakenlieden en een paar Arabieren die voor multinationals werkten. Ze waren naar de welvarende Golf getrokken maar hun sociale isolatie sloeg ze lam. Met name de zakenlui waren oneindig dankbaar voor een ontsnapping uit de naargeestige hotelkamers waar ze vaak weken moesten wachten voor ze werden ontvangen door een of andere prins of arrogante plaatselijke zakenman. Zakendoen met Saoedi-Arabië was erg moeilijk voor hen: het eindeloze wachten, het nietsdoen, alle beperkingen.

Veel buitenlanders die in Saoedi-Arabië woonden verlangden zo wanhopig naar amusement en middelen om te ontsnappen dat ze in hun badkuip hun eigen illegale alcohol stookten. Op een dag zag ik bij Safeway een enorme menigte buitenlanders, die rond een rek met chocolaatjes stond; opgewonden en met tientallen tegelijk gooiden ze de dozen chocola in hun karretje. Ik was nieuwsgierig naar wat er aan de hand was en bekeek de aankopen van een van hen in de rij voor de kassa. Het waren likeurbonbons met kirsch! Ik moest er flink om lachen. Een of andere douanebeambte had zich danig vergist.

Elke donderdag was het open huis met tussen de vijfentwintig en zeventig gasten. Er waren vaste bezoekers, zoals de Amerikaanse ambassadeur John West en zijn vrouw Lois, vrienden die me tot op de dag van vandaag trouw zijn gebleven. Hun dochter Shelton was ongeveer twintig jaar. Ik kan me er haast geen voorstelling van maken hoe moeilijk het Saoedische leven voor haar moet zijn geweest als jonge, alleenstaande Amerikaanse vrouw in een zo gesloten samenleving.

In ons huis was de sfeer daarentegen echt ontspannen, net als tijdens de sociale happenings waar ik in Amerika zo van genoot. We installeerden een tv-kamer met video's voor de kinderen. Sommigen namen hun vrienden mee. Voor de buitenlanders werd het echt een gebeurtenis die met recht op de sociale kalender van Djedda stond. De eerste keer dat de vrouw van de Belgische ambassadeur kwam, was ze prachtig uitgedost in een bijzondere lange jurk, en ze was zichtbaar verbaasd toen ze mij zag in een Capri-broek, omringd door mannen in shorts. 'Wow, dit is zeker informeel!' riep ze uit. 'Altijd als iemand "informeel" zegt in dit land kom ik erachter dat ze tot in de puntjes gekleed zijn. Dit is heel onverwacht!'

Tennissen was een afleiding; het maakte de sfeer ontspannen. De meesten van ons praatten. Mensen kwamen met het laatste nieuws; we praatten over politiek of boeken. (Mijn alom benijde boekenplanken groeiden al snel uit tot een soort gemeenschappelijke bibliotheek.) Soms praatten de zakenlui over belangrijke contracten waarover ze aan het onderhandelen waren, en over de groeiende mogelijkheden in het land.

Dit waren de mensen die het nieuwe, moderne Saoedi-Arabië aan het bouwen waren. Met hen praten, naar hen luisteren en hen naar mij laten luisteren werd mijn redding. Het was stimulerend, een uitdaging. En deze bijeenkomsten waren ook goed voor Yeslams zaken. Als deze mannen, vaak directeuren van belangrijke ondernemingen, naar Yeslams huis kwamen om te tennissen, te eten en bier te drinken, dan opende dat nieuwe deuren voor Yeslam. Het maakte hem anders dan andere Saoedi's. Het was niet niks om in Yeslams huis te worden uitgenodigd.

Yeslam werd invloedrijk. Hij was niet zomaar een onbeduidende sjeik. Yeslam was van de beroemde Bin Ladin-familie; en zelfs binnen de hiërarchie van de Bin Ladin-broers werd Yeslam belangrijker, iemand om rekening mee te houden.

Soms nodigde Yeslam Saoedische mannen uit bij deze tennispartijen, maar er kwam nooit een Saoedische vrouw. Ik zag het als een uitdaging normaal te blijven doen wanneer er Saoedische mannen waren. Ik dacht dat als die mannen me vrijelijk zagen spreken met Yeslam, ze er wel aan zouden wennen en misschien zouden gaan beseffen hoeveel rijker en waardevoller het was om een verhouding met je vrouw te hebben waarin je veel met elkaar praat en maatjes bent. Ik dacht dat ik meehielp de Saoedische samenleving te ontwikkelen, maar misschien vonden de meeste Saoedi's de ontspannen sfeer te bedreigend. Want ook al liepen Yeslams broers vaak binnen, ze bleven nooit lang.

Op een donderdagavond in 1978 spraken alle diplomaten over 'het laatste gerucht dat de ronde deed in Djedda. Een jonge achternicht van de koning, prinses Mish'al, was in koelen bloede vermoord op een parkeerplaats in het stadscentrum. Hoewel ze amper volwassen was, was Mish'al al uitgehuwelijkt aan een veel oudere man. Ze had geprobeerd met haar vriendje het land uit te vluchten met behulp van een ander paspoort, maar was gepakt op het vliegveld.

Geen vrouw kan Saoedi-Arabië verlaten, of zelfs een tripje buiten haar woonplaats maken, zonder de geschreven toestemming van haar man, vader of zoon. Een vrouw is juridisch nooit volwassen. Er bestaat wel een ondergronds netwerk van vrouwen dat paspoorten en toestemmingen verhandelt. Omdat geen enkele douanebeambte een vrouw zou durven vragen haar sluier af te doen, is het niet moeilijk een andere identiteit aan te nemen.

Desalniettemin werd Mish'al opgepakt. Ik weet niet hoe. En haar grootvader prins Mohamed, de broer van koning Khaled, had bevolen dat ze gedood moest worden omdat ze schande over haar familie had gebracht. Koning Khaled had zich kennelijk verzet tegen het bevel van zijn broer, maar prins Mohamed stond erop dat ze werd gedood, en hij was de patriarch van zijn clan. Er was geen proces, werd me verteld. Er werd zes keer op Mish'al geschoten op een parkeerplaats in het stadscentrum. Een passerende Engelsman had foto's genomen. En nu, tot woede van de Saoedische regering, was de BBC van plan er een documentaire over uit te zenden.

Ik was verstijfd van afgrijzen. Ik dacht er lang over na. Een grootvader kon bevelen dat zijn jonge kleindochter moest worden gedood omdat ze verliefd was; en niemand kon het tegenhouden.

Dit was niet eens een islamitische kwestie. In zekere zin ging het dieper dan dat. Er was geen rechtszaak voor een islamitische rechtbank geweest, geen verordening van de imams. De krachten die deze dramatische, afschuwelijke gebeurtenis bepaald hadden, kwamen voort uit de oude bedoeïenencultuur van Saoedi-Arabië – barbaarse, verbitterde gebruiken die de samenleving tot op de dag van vandaag in hun greep blijven houden.

In de bedoeïenencultuur is loyaliteit aan je clan het enige dat telt. Bedoeïenen zijn nomaden en reizen met weinig bagage. De familie is het anker van de stam. Vrouwen en kamelen vormen de enige bezittingen van een bedoeïenenstam. Meedogenloosheid is een positieve waarde in de woestijn. En om redenen die ik met geen mogelijkheid kan of wil begrijpen, verkrijg je eer niet door medeleven of hard werken – eer is gebaseerd op het absolute bezit van vrouwen. Vrouwen zijn op geen enkele manier vrij, zelfs niet om emoties te voelen zoals liefde of verlangen. Een ongehoorzame vrouw onteert haar clan en wordt uit de weg geruimd.

Toen ik hoorde van Mish'al ging mijn eerste gedachte uit naar mijn onschuldige kleine meisjes. Dit kon op een dag ook gebeuren met Wafah of Najia. Een van hun ooms zou zeer wel in staat kunnen zijn te bevelen dat zijn nicht gedood moest worden. En ik zou machteloos zijn. Er bestaan geen woorden om mijn woede en mijn hernieuwde paniek die dag te beschrijven. Als onze familietrip naar Taef de eerste waarschuwing was geweest om de realiteit van Saoedi-Arabië onder ogen te zien, dan was Mish'als dood duidelijk de tweede.

Ik besloot de verjaardagen van Wafah en Najia gezamenlijk te vieren in mei. Ik had geen idee dat dit eenvoudige en onschuldige besluit zoveel religieuze misère zou oproepen. Ik begon gewoon met organiseren en belde alle schoonzussen om hun kinderen uit te nodigen. Vooral mijn schoonzus Rafah reageerde geschrokken.

'We schenken zelfs geen aandacht aan de verjaardag van de profeet Mohamed,' hield Rafah vol. 'Christenen vieren verjaardagen. Kerstmis is een verjaardag.'

'Wat zeg je?' antwoordde ik verbijsterd. 'Dit is niet een of andere vorm van afgodenverering. Ik wil alleen maar een klein meisje laten merken dat ik gelukkig ben dat ze geboren is. Wat ik ermee wil zeggen is: "Jij werd die dag geboren en voor mij was dat een gelukkige dag." Het is niet christelijk.'

Ik kon haar niet overtuigen. Voor Rafah en de anderen was het een religieuze affaire. En hun religie was onbuigzaam. Ik kwam erachter dat in Saoedi-Arabië – voor de Bin Ladins – verjaardagsfeestjes *haram* zijn.

Misschien lijkt het wel een onbelangrijke kwestie, maar mij zat het echt dwars. Rafah en de anderen waren ervan overtuigd dat zij de diepere waarheid bezaten. Ze zagen het Westen als verdorven, een decadente cultuur die op het punt stond om in te storten. Voor mij werd het belangrijk, misschien wel buitensporig belangrijk. Ik wilde niet alles van mijn cultuur overboord gooien om de Bin Ladins een plezier te doen. Ik was niet van plan mijn kinderen zoiets normaals als een verjaardag te ontzeggen. Yeslam was het er mee eens dat ik het partijtje organiseerde. Het was niet de eerste keer dat we de tradities trotseerden.

Ik besloot iets bijzonders van die dag te maken en startte een nieuw project: enorme, uit polystyreen gesneden figuren die ik met schaar en spelden in elkaar zou zetten. Ze moesten veel mooier worden dan de decoraties die te koop waren en ze zouden mijn meisjes laten zien dat niet alles in een winkel hoeft te worden gekocht. Ik werkte er weken aan. Vermoedelijk uit nieuwsgierigheid kwamen meerdere schoonzussen met hun kinderen naar het partijtje. Ze speelden en schreeuwden tot laat in de avond. Het leek wel een sprookjesfeest.

Het werd echter elk jaar moeilijker om hun moeders ervan te overtuigen dat ze naar het feestje mochten. Ondanks mijn vriendschap met Haifa voelde ik me nog steeds alleen. Ik leefde in een samenleving waarin vrouwen niets waren en niets wilden zijn. Het leek wel of ze de veranderingen die ik verwachtte en waar ik naar hunkerde, niet wilden, en ik voelde me gefrustreerd omdat ik omringd werd door vrouwen die niet de wil of de moed hadden om zich te verzetten. Velen van hen waren intelligent en energiek, maar ze brachten dat alleen maar tot uiting in hun religie. Het was een soort levende dood – de dood van de persoonlijkheid.

Ik was nu baas in mijn eigen huis, maar er waren dagen waarop ik me voelde als de hoofdgevangene ervan. In de schemering, na de oproep voor het avondgebed, stond ik op ons marmeren terras en luisterde naar het gekwetter van de duizenden vogels die rondcirkelden terwijl de enorme oranje zon achter ons huis in de woestijn zakte. Ze maakten een ongelofelijk lawaai, cirkelend over de woestijn in zwarte wolken en je kon kilometers ver bijna niets anders zien. Het was mooi,

maar het was altijd en eeuwig hetzelfde – leeg, zonder vrienden of kameraadschap.

Terwijl de maanden voorbijgingen, kreeg ik van deze stille
wakes meer en meer een zwaar, claustrofobisch gevoel. Mijn
dochters waren in het huis achter me, maar mijn leven voelde
soms net zo dor en leeg als het zand.

10 De broers

Tijdens ons eerste jaar in Saoedi-Arabië had Yeslam nog een tamelijk ondergeschikte positie binnen de Bin Ladin Corporation. Dat hoorde ook bij zijn positie als tiende zoon van sjeik Mohamed. Tot mijn grote vreugde werd het iedereen al snel duidelijk dat zijn talenten werden verkwist. Yeslam was veel intelligenter en beter opgeleid dan zijn broers. Bovendien deed de Bin Ladin Corporation het minder goed dan het op het eerste gezicht leek. Het bedrijf had Yeslams capaciteiten hard nodig.

In die tijd werd de Bin Ladin Corporation nog gerund door een bestuur van acht gevolmachtigden die na het overlijden van sjeik Mohamed door koning Faisal waren benoemd en die in het belang van Mohameds jonge kinderen op het bedrijf pasten. (Toen sjeik Mohamed op negenenvijftigjarige leeftijd overleed hadden slechts twee zonen de leeftijd van eenentwintig bereikt.) Het bedrijf behoorde tot de grootste in Saoedi-Arabië, en als zodanig verdiende het speciale aandacht. Bovendien had sjeik Mohamed gewerkt voor koning Faisals vader, de legendarische Abdel Aziz, en zijn broer, koning Saud: hij had de meeste van hun paleizen gebouwd en hen met andere dingen geholpen. Hij had een band met de koninklijke familie.

De acht gevolmachtigden waren capabele, respectabele oudere mannen, maar ze waren uiterst conservatief en volkomen afkerig van het nemen van risico's. Naast de stagnerende Bin Ladin Corporation begonnen andere bouwbedrijven op te komen, waarvan sommige gesteund werden door machtige prinsen. Er werd gezegd dat deze concurrenten betere contacten hadden dan de Bin Ladins, en in Saoedi-Arabië zijn je contacten van levensbelang. De concurrenten waren agressief en machtig. Ze sleepten links en rechts steeds meer opdrachten binnen.

Ondertussen waren er ook problemen tussen de twee oudste broers. Salem was sjeik Mohameds oudste zoon; zijn tweede zoon, bij een andere vrouw, heette Ali. (Ik had hem ontmoet in Libanon.) De sjeik stuurde Salem naar het buitenland voor zijn opleiding, terwijl hij besloot Ali in Saoedi-Arabië te houden. Toen sjeik Mohamed stierf, waren zowel Salem als Ali wettelijk volwassen; Salem besloot zijn rechtmatige plaats in te nemen als leider van de familie en van de onderneming. Ali was nummer twee, maar omdat hij aan zijn vaders zijde was gebleven vond hij dat hij de baas moest zijn.

Jarenlang betwistte Ali de beslissingen van Salem. De rivaliteit tussen de broers deed het bedrijf geen goed. Uiteindelijk vroeg Ali koning Faisal toestemming om de Bin Ladin Corporation en Saoedi-Arabië te mogen verlaten. Hoewel Ali's claim dat hij sjeik Mohameds echte opvolger was wel enige grond had, moest de koning instemmen met zijn vertrek uit het bedrijf. Zelfs koning Faisal kon niet toestaan dat de regel van de oudste broer zou worden betwist. Het is de basis van het clansysteem van Saoedi-Arabië – de basis van de koninklijke familie zelf.

Ali kreeg dus toestemming om te breken met de Bin Ladin Corporation en met zijn familie. De Bin Ladins en de gevolmachtigden maakten een schatting van de waarde van het bedrijf. Dat hadden ze nog niet eerder gedaan omdat de kinderen en hun moeders gepland hadden het bedrijf te delen. Ze gaven Ali een miljoen dollar. Hij vertrok naar Libanon. Salem en zijn jongere broer Bakr namen de leiding over.

De Bin Ladin Corporation had nog steeds het prestigieuze, lucratieve en exclusieve contract om Mekka en Medina te renoveren, maar verder draaide het bedrijf niet goed. Yeslam maakte voortdurend promotie. Hij huurde twee mannen in van de Citibank en ging het hoofdkantoor in Djedda herstructureren. Yeslam splitste het bedrijf in afdelingen, ontwikkelde besluitvormingsprocessen en stelde formele rapportages in, waar vroeger alleen consensus telde die tot eindeloze vertragingen leidde. Yeslam was de eerste die computers aanschafte. Hij onderhandelde over leningen en investeringen met belangrijke buitenlandse bankconsortia waardoor hij langzamerhand de financiën van het bedrijf overnam. Hij ging joint ventures aan met bedrijven als General Motors en Losinger, een Zwitsers bouwbedrijf.

De Bin Ladin Corporation was via een ingewikkelde formule het gemeenschappelijke bezit van de erven van sjeik Mohamed. De vier vrouwen die toen hij stierf nog met hem getrouwd waren, deelden eenachtste van de erfenis. Het resterende zevenachtste deel van het bedrijf ging naar zijn vierenvijftig kinderen: een volledig aandeel voor de zonen, de helft voor de dochters. (Omdat een afgedankte vrouw niet direct kon erven, ondersteunden haar kinderen haar vanzelfsprekend.) Het bedrijf werd gezamenlijk geleid: zelfs een perceeltje land kon niet worden gekocht of verkocht zonder volledige consensus. In die tijd kreeg geen van de broers een salaris. Elk kind kreeg elk jaar dividend – een heel aandeel voor de jongens, de helft voor de meisjes. Het waren de oudste broer Salem en zijn bondgenoot Bakr die de zaak feitelijk runden.

Salem en Bakr hadden dezelfde moeder. Officieel bestaan er geen halfbroers in een Saoedische familie, maar er was wel nog steeds sprake van affiniteit en groepsvorming – of omdat de mannen dezelfde moeder deelden, of omdat ze van dezelfde leeftijd waren of omdat ze dezelfde scholen hadden bezocht. Als ze net als Salem en Bakr alle drie de factoren gemeen hadden, was de band nog sterker.

Yeslams natuurlijke medestanders waren allemaal jonger dan hij en zoals veel van de jongere mannen ergerde hij zich aan het bewind van zijn oudere broer.

Op een avond nam Yeslam me mee om het kantoor te bekijken. Het was al gesloten, maar toch had ik me zorgvuldig verborgen in mijn *abaya*. Het gebouw was in de buurt van Kilometer Zeven en het zag eruit als – als niets. Het leek in geen enkel opzicht op de grote westerse ondernemingen, met al hun glas en machtsvertoon. Ik zag lange gangen als in een oude, provinciale school in Europa met kale, kleine kamertjes. Er was iemand aan het schoonmaken – gewoon vegen, niet eens met een stofzuiger – en dus moest ik me terugtrekken in Yeslams kantoor. Het was eenvoudig: een houten tafel, geen tapijten, en aan de muur slechts drie goedkoop ingelijste foto's, van koning Abdel Aziz, koning Faisal en koning Khaled. Het leek in niets op het hoofdkantoor van een van de belangrijkste bedrijven in het Midden-Oosten.

De andere broers hadden al snel in de gaten dat Yeslams vaardigheden van vitaal belang waren. Zijn ster begon te rijzen.

Yeslam werkte nu op het hoofdkantoor van het bedrijf in Djedda. Velen raadpleegden hem; hij was op de hoogte van financiële zaken en van het Westen. Sommige van zijn oudere broers waren niet blij met zijn toenemend aanzien: Yeslams reputatie ging die van hen overschaduwen.

Om zijn positie te behouden, had Yeslam dringend behoefte aan machtige bondgenoten. Hij vond er een in Hassan – de vijfde broer in de rangorde –, een zeer kundige, oudere broer die geen natuurlijke bondgenoten had omdat zijn moeder slechts één zoon had gekregen.

Loyaliteiten veranderden voortdurend, onder invloed van onuitgesproken meningsverschillen en persoonlijk agenda's. Als Omar bijvoorbeeld een stuk land wilde kopen, dan kon hij zich tijdelijk bij een andere groep aansluiten. Dit was een onderneming, en zoals in elke onderneming was er een felle interne machtsstrijd gaande. Maar het was ook een familie, een zorgvuldig gepolijste familie, waar onenigheid nooit openlijk kon worden toegegeven.

De sfeer was verstikkend door de interne spanningen en geheimen en het begon ook zwaar op Yeslam te drukken. Steeds vaker kwam hij bij mij voor steun en geruststelling, die hij nodig had om met de druk van zijn broers om te kunnen gaan. Hij had behoefte aan een klankbord. Ik begon zijn steun en toeverlaat te worden; ik werd strategisch adviseur, een analist die een enorme hoeveelheid informatie had over de dagelijkse gang van zaken achter de schermen van Yeslams werk. Ik was blij met deze rol; mijn hersens werden scherp gehouden en het hielp me om me betrokken te voelen bij het bouwen aan een toekomst voor ons gezin.

Inmiddels vervulde Yeslam feitelijk de rol van financieel directeur van het bedrijf. Vele jongere broers kwamen steeds vaker 's avonds naar ons huis om op het terras thee te drinken of te eten, en om te praten. Ik bleef erbij zitten en luisterde, en omdat Yeslam me niet wegstuurde, accepteerden ze mijn zwijgzame aanwezigheid. Misschien beseften ze niet hoeveel Arabisch ik inmiddels begreep. De meest religieuze broers, waaronder Osama, bezochten ons zelden bij dergelijke gelegenheden omdat ik mijn gezicht niet sluierde. Als ze wel kwamen, moest ik me terugtrekken op mijn kamer.

Ik leerde mijn meningen voor me te houden. De keren dat ik sprak, stokte het gesprek meteen en Yeslam staarde me dan van boven zijn theeglas aan. Dus hield ik mijn mond en absorbeerde kennis. Vele kwesties werden niet bij de naam genoemd, maar de bedoelingen kon ik wel raden. Later besprak ik met Yeslam wat ik had opgestoken.

Terwijl ik op het terras van mijn thee nipte, spraken de jongere broers over beslissingen die ze wilden nemen of tegenorders die Salem en Bakr hadden uitgevaardigd. Veel broers waren gefrustreerd door hun gebrek aan contact met de prinsen van de familie al-Saud die het land met absolute macht regeerden.

Een goedgezinde, machtige prins voor je proberen te winnen kostte vaak veel tijd, veel lobbyen en ook veel geld. Het betekende dat je praktisch elke avond het hof van een prins moest bezoeken, of met ze mee moest reizen. Sommige al-Sauds roomden van elk belangrijk contract een hoog winstpercentage af, als een soort goddelijk geboorterecht. De prinsen vormden echter ook de poort tot succes, prestige en politieke invloed.

Ik wilde niet dat Yeslam nummer tien in rang bleef, een slim radertje in een machine die veel groter was dan hij. Ik wist dat hij briljant, effectief en kundig was; hij verdiende beter. Maar om onafhankelijk te worden – meer dan Bin Ladin nummer tien – moest Yeslam zijn eigen contacten hebben met de al-Sauds. Salem en Bakr schermden hun contacten met de prinsen echter af. Dat waren deuren die gesloten bleven.

Dankzij de donderdagavondpartijtjes breidde ons sociale leven zich uit en ontmoetten we veel meer mensen. Velen van hen waren buitenlanders die begonnen te ondervinden hoe ver ze verwijderd waren van de Saoedi's maar ook van hun eigen westerse levenswijze. Mijn vriendin Ula Sebag, de Zweedse vrouw die haar twee jaar oude zoontje kwijt was geraakt aan zijn Saoedische vader, was hertrouwd met een Palestijnse Amerikaan, Issa, die al dertig jaar in Saoedi-Arabië woonde. Issa was een zachtaardige oudere man die als vertaler en raadsman werkte op de Amerikaanse ambassade. Hij had goede contacten met prins Majid, een van de vele broers van de koning. (Alleen al in die tak van de koninklijke familie waren er twintig vrouwen geweest.)

Zoals alle belangrijke al-Saud-prinsen ontving prins Majid, een gezette en fletse man, elke avond mensen op zijn *majlis* in een enorme, vorstelijke zaal van zijn paleis. Het was een soort hof van smekelingen, na het avondgebed. Als prins Majid de bezoekers persoonlijk niet goed kende, dan groette hij ze slechts, waarna zij plaatsnamen op een verre canapé. Naast de prins zaten zijn naaste medewerkers. Zo zat de macht in elkaar.

Mensen met goede connecties bezochten soms meerdere van dergelijke prinselijke zittingen, zoals Salem deed. Hij had een aantal geldschieters, onder wie prins Salman, de gouverneur van Riyad, en bezocht praktisch elke avond een andere *majlis*.

Op een avond nam Issa Yeslam mee om prins Majid te bezoeken.

Er gebeurde niets speciaals die avond – een beetje praten, een paar kopjes thee. Alles gaat langzaam in Saoedi-Arabië, in symbolische stapjes die zo oneindig klein zijn dat een buitenstaander ze waarschijnlijk niet eens opmerkt. Maar algauw was er sprake van een patroon. Yeslam werd een vertrouweling van prins Majid en vervolgens ook van andere prinsen. Yeslam werd een van de mannen die dicht bij de macht zaten. Hij sprak nu met andere mannen die ook dicht bij de macht zaten. Het was een subtiel spel van invloed en gebaren dat echter een enorm effect had op Yeslams status.

Vele jaren later, toen Issa Sebag met pensioen ging, bezocht hij ons een keer. Hij was zijn eigen positie bij de prinsen kwijtgeraakt, maar hij had een of ander verzoek op bestuurlijk gebied, en hij vroeg Yeslam of hij deel uit mocht maken van zijn gevolg. Yeslam ging akkoord, maar telkens weer meed hij de oude man wanneer hij de prins ging bezoeken. Op een dag hield ik hem tegen en zei: 'Issa heeft jou geholpen toen je hem nodig had.' Maar Yeslam verwierp dat hooghartig. 'Niemand heeft me geholpen,' zei hij, 'ik ben een Bin Ladin.'

Naarmate Yeslam zijn macht binnen de Bin Ladin Corporation verstevigde, werden de discussies op mijn terras verhitter. Yeslam was nu feitelijk leider van het bedrijf. Ook al haalden ze nieuwe, grote contracten binnen, toch werd de opkomst van Yeslam niet gewaardeerd door Salem en Bakr. Op een ochtend belde Bakr een van de grotere banken om een lening te bespreken – ettelijke honderden miljoenen riyals – voor een nieuw bouwproject. De bankier, niet bijster slim, vroeg hem: 'Weet sjeik Yeslam ervan?' Bakr voelde zich gekleineerd. Hij had gezichtsverlies geleden.

Salem en Bakr gingen bevelen uitvaardigen die haaks stonden op Yeslams beslissingen. Ze claimden de eer van zijn projecten en ondermijnden en bekritiseerden zijn voornaamste werknemers. Ze brachten hem in verlegenheid door op het allerlaatste ogenblik overeenkomsten die hij had gesloten, te verwerpen. Vervolgens verloor Hassan, een goede zakenman maar een zware gokker, een fortuin in een Londens çasino. Hij belde om hulp en Salem en Bakr betaalden Hassans schulden. Eenmaal terug in Saoedi-Arabië was hij opeens gereserveerd tegen Yeslam: Hassan was van kamp gewisseld.

Yeslam haalde een belangrijke nieuwe order binnen voor de bouw van de Bin Ladin Plaza in het stadscentrum van Djedda. Het was een spectaculaire wolkenkrabber, in die tijd verreweg het hoogste gebouw van de stad, waarvan de bouw honderden miljoenen dollars zou kosten. We reisden in die maanden vaak naar Parijs: Yeslam onderhandelde over het contract en tekende de overeenkomsten. We verbleven wekenlang in het chique hotel Georges V; ik kan me nog goed herinneren dat ik daar tot diep in de nacht met gekruiste benen op het bed de contracten zat door te lezen.

Voor de Bin Ladin Corporation was het een fantastische financiële buitenkans – de eerste van een reeks. Het hele project werd gefinancierd door Franse bankleningen en de Franse overheid stond garant. Het enige dat de Bin Ladin Corporation deed was de grond beschikbaar stellen. Toen het hele gebouw aan de nationale luchtvaartmaatschappij Saudia werd verhuurd, verdienden de Fransen hun investering snel terug. De Bin Ladin Corporation verdiende vervolgens een fortuin als eigenaar van wat, in essentie, een gratis gebouw was. Natuurlijk zou dit in geen enkel ander land hebben kunnen gebeuren, omdat de Fransen de grond gewoon gekocht zouden hebben. In Saoedi-Arabië mogen buitenlanders echter geen onroerend goed bezitten. Ze mogen niet eens zaken doen zonder een Saoedische partner. Ook hier weer gold: de heilige grond mag niet bezoedeld worden door ongelovigen.

Ik was apetrots op wat Yeslam had gepresteerd door het project van de grond te tillen. Maar toen de Saoedische kranten erover berichtten werd alle krediet voor Yeslams werk aan de zelfvoldane Bakr gegeven.

Ik kon zien dat dat aan Yeslam knaagde, maar op zulke momenten trok hij zich altijd terug. Hij confronteerde Bakr en Salem nooit met hun daden, hoewel zijn persoonlijke afkeer van hen steeds heftiger werd. Hij klaagde bij mij over de oneerlijkheid van zijn broers, maar hij ondernam nooit actie om zich te verdedigen.

Confrontatie is geen Saoedisch gebruik. Zo op het eerste gezicht is alles vredig – vooral binnen de clan. Er heerst hebzucht. Er wordt strijd geleverd om macht en eer, zelfs binnen de koninklijke familie. Maar de verborgen dagelijkse realiteit is broer tegen broer, want ook in Saoedi-Arabië dwingt de menselijke natuur individuen om hun persoonlijke ambitie na te streven.

Maar uiteindelijk drijven de gelijke sociale vorming en de wahabitische overtuiging elk lid van een Saoedische clan terug naar de kudde. Geen enkel individueel lot is belangrijker dan de gedeelde religieuze waarden. Voor een Saoedi is het niet mogelijk te ontsnappen aan de tradities van zijn voorvaderen.

11 1979

Op nieuwjaarsdag 1979 overdacht ik dat Saoedi-Arabië toch aan het veranderen was. In de drie jaar dat ik er woonde, was ik er getuige van geweest hoe een glanzende nieuwe stad was verrezen uit de zandvlakte van het oude, middeleeuwse Djedda. Moderne gemakken deden hun intrede: de vrachtwagen van Bin Ladin bracht niet meer om de twee of drie dagen water om ons waterreservoir te vullen. Mijn dochters waren gelukkig. Ik had Haifa, die me troostte en waarmee ik plezier had. Yeslam adoreerde me en zijn invloed en macht namen toe. In de winkelcentra zag je steeds meer vrouwen die hun gezicht niet bedekten. Er was veel om naar uit te zien.

Hoe kon ik in hemelsnaam voorzien dat het Midden-Oosten al snel heel veel stappen achterwaarts zou gaan zetten? Een opstand in Iran tegen de sjah zou een schokgolf door de regio veroorzaken, en de traditionalisten, die vochten tegen elke poging om het Midden-Oosten toe te laten treden tot de moderne wereld, een nieuwe impuls geven. De islam zou een volkomen nieuwe dimensie krijgen en het gezicht van de hele wereld doen veranderen. Niets zou ooit nog hetzelfde zijn.

Zelfs de onbenullige Saoedische kranten konden ons niet afschermen van het nieuws dat in Iran opvlamde. De revolutie was uitgebroken: al in december werd sjah Reza Pahlavi gedwongen het land te verlaten. Een vreemde en ongemakkelijke coalitie van door het Westen beïnvloede liberalen en fanatieke fundamentalisten eiste macht voor het volk. In februari verliet ayatollah Khomeini zijn ballingschap in Frankrijk en kwam aan in Teheran. Hij werd begroet door een ongelooflijke menigte van miljoenen sympathisanten. Niet veel later begonnen de mannen van Khomeini de westersgezinde liberalen die hen hadden geholpen met de revolutie aan te vallen. Ze dwongen de vrouwen een sluier te gaan dragen, vrouwen die vroeger vrij konden kiezen hoe ze over straat gingen. Bedrijven werden het doelwit van islamitische 'hervorming'. Iedereen in het Midden-Oosten kon de plotselinge, onheilspellende omslag voelen.

Op onze donderdagavondpartijtjes praatten de diplomaten en andere buitenlanders nergens anders over. Iedereen was onverzadigbaar op zoek naar nieuws. Ik hoorde bij de gelukkigen: mijn zussen in Europa stuurden me wekelijks per DHL kranten en weekbladen. Ik werd overdonderd door wat er gebeurde in Iran. Mijn moeders geboorteland veranderde compleet door een herwaardering van de Middeleeuwen. Ze gooiden zuur in de gezichten van vrouwen die make-up droegen. Duizenden mensen werden gearresteerd en vermoord. Khomeini bekritiseerde de Saoedische monarchie. Volgens hem kon er in de islam geen koning zijn.

Ik zag dat het schrikbeeld van een revolutie Yeslam en zijn broers zenuwachtig maakte. Ook ik was ongerust. Als de monarchie in Iran kon worden omvergeworpen, als vrije Iraanse vrouwen zo snel terug in de chador konden worden gedwongen en op straat te lijden hadden van wrede aanvallen van de religieuze politie, wat kon er dan wel niet gebeuren in Saoedi-Arabië?

Ik maakte me ook zorgen over mijn familie en kennissen in Iran. Mijn moeder bevond zich veilig in Europa, maar werd wel steeds zwakker. Het grootste deel van haar familie was al geëmigreerd, velen naar de Verenigde Staten. Mijn moeder had echter talloze vrienden en bekenden die nog in Iran woonden en het was moeilijk om nieuws over hun situatie te krijgen. Het was al verschrikkelijk om aan hun lot te denken.

Diep vanbinnen dacht ik dat als er ooit een revolutie in Saoedi-Arabië zou komen, ik zou kunnen ontsnappen. Als buitenlandse én een Bin Ladin wist ik dat ik bij de eersten zou horen die het land zouden verlaten. Dat was de echte luxe van mijn positie, niet de kleren van Chanel en de smaragden oorbellen. We hadden de politieke invloed om weg te komen als dat moest, de macht en de status om te ontsnappen aan de inspecties van de religieuze politie, om de gevangenis uit te komen of om het land te verlaten.

De Bin Ladin Corporation bezat een vloot vliegtuigen. En als een Bin Ladin een stoel in een vliegtuig wilde, dan hoefde hij er maar een uit te zoeken. Omdat het het enige bedrijf was dat in Mekka mocht werken, was de status van de familie veel hoger dan die van de andere handelsclans. Zelfs als een vliegtuig volledig was volgeboekt, konden de Bin Ladins altijd nog een ticket krijgen. Ik was daar vaak getuige van geweest. Als er moeilijkheden dreigden, konden we ons er gewoon zelf uit vliegen.

Hoewel ik dus gespannen was – daar viel niets tegen te doen – voelde ik me niet direct bedreigd. Maar de al-Saud-prinsen moeten heel wat banger zijn geweest dan ik. Zij hadden alles te verliezen. Khomeini's revolutie was een rechtstreekse aanval op hun heerschappij. Je kon de toenemende invloed van fundamentalistische religieuze ideeën op straat zien. De kleine veranderingen die me zoveel hoop op toekomstige vrijheid hadden gegeven, brokkelden af toen de koninklijke familie in paniek raakte en de fundamentalisten probeerde tevreden te stellen.

Radicalere ideeën over correct religieus gedrag kregen steun met een snelheid die me verbaasde. Er werden aankondigingen aangeplakt in de soek die waarschuwden voor het gevaar van onfatsoenlijke kleding. Omdat in de preken in de moskee opgeroepen werd tot meer beperkingen op het gebied van de sociale zeden, gingen steeds meer vrouwen de gezichtssluier weer dragen. Ondanks de moordende hitte trokken ze dikke zwarte kousen aan onder hun *abaya*s om die paar centimeter voeten en enkels te bedekken die tijdens het lopen gezien zouden kunnen worden. Veel vrouwen, onder wie Osama's vrouw Najwah en mijn schoonzussen Rafah en Sheikha, gingen handschoenen dragen. De religieuze politie, de *mutawa*, ging dikke lange stokken dragen en gebruiken, net als in Iran, om toezicht te houden op onze zedigheid.

Plotseling begon ik kleine dingen op te merken, alsof de samenleving een stap achteruit deed. Op een middag was ik in een supermarkt toen een zwangere vrouw flauwviel. Haar man snelde toe om haar te helpen bij het opstaan. De *mutawa* hield hem tegen, schreeuwend dat hij zijn vrouw niet in zijn armen mocht nemen in het openbaar.

Als de oproep voor het gebed klonk terwijl we aan het winkelen waren, konden we niet zoals vroeger blijven terwijl de mannen weggingen om te bidden: de winkeliers waren bang en sloten haastig hun luiken.

De *mutawa* schreeuwde naar ons op straat: 'Hé jij, vrouw, wat doe je daar?' als onze handen zichtbaar waren of als ik mijn *abaya* wat te hoog optrok. Abdou, mijn Soedanese chauffeur, beschermde me altijd door 'Bin Ladin' te zeggen: zelfs nu kon de religieuze integriteit van een Bin Ladin-vrouw niet in twijfel worden getrokken. Desalniettemin begon ik bang te worden.

De *mutawa* brak in huizen in en sloeg stereo-installaties aan diggelen. Vond de *mutawa* alcohol, dan sleepten ze de mannen naar de gevangenis en sloegen ze. De verkoop van poppen voor kinderen werd verboden omdat het afbeeldingen van mensen waren en dus werden poppen, net als whisky, smokkelwaar. De enige poppen die nog werden verkocht waren vormloze figuren zonder gezicht – zoals de pop die Aisha in de zevende eeuw had, het kindvrouwtje van de profeet Mohamed. Maar dit was 1979!

De Bin Ladin-vrouwen spraken niet over dergelijke dingen. Zij zouden de regels sowieso nooit hebben overtreden. Volgens hen deed de *mutawa* zijn werk, en dat werk was eerbaar en rechtvaardig. Ze waren ervan overtuigd dat er niet zoiets bestond als te streng gelovig zijn. Maar het viel alle buitenlanders op hoeveel strenger en angstaanjagender de *mutawa* was geworden.

Op een dag begon ik toch een gesprek over het onderwerp met mijn schoonzus Rafah. We hadden het over de sluier. Ik vertelde haar dat ik die onnodig en beledigend vond; een belediging aan het adres van de Saoedische mannen. Waren ze echt zo zwak en zo geobsedeerd door seks dat ze in de verleiding zouden komen om te zondigen als ze alleen maar een blik wierpen op het gezicht van een vrouw? Rafah staarde me aan alsof het Oud-grieks had gesproken. Ik kon het in haar ogen lezen – arme, onwetende buitenlandse. Ik kon eenvoudigweg niet tot haar doordringen. Het was bijna eng.

Juist de jonge mensen maakten me het bangst. Zij werden geacht het land vooruit te leiden, uit de Middeleeuwen naar de moderne wereld. En toch zag ik hoe ze zich elke week verder terughaastten door de eeuwen. Ik zag hun handschoenen, hun zwarte kousen en hun kwade gezichten – ik hoorde ze meer beperkingen eisen. Het kon toch zeker niet waar zijn dat de jonge mensen er in feite naar verlangden dat de wereld achteruit zou gaan? Wie gelooft nou zoiets? En toch was dat precies wat gebeurde in Iran.

Ik voelde me in de val zitten. Elke verandering die ik had verwelkomd leek een tijdelijke verandering te zijn geweest. Elke kleine opening duurde maar zo kort. De Saoedi's hadden zich een paar jaar opengesteld voor de wereld. Nu leek het of ze een stap terug zetten, terug naar hun waarden en tradities.

In de zomer gingen we naar de Verenigde Staten. Het was gedeeltelijk een zakenreis voor Yeslam, maar ik wilde me voornamelijk koesteren in Mary Martha's geruststellende, liefhebbende omhelzing. Ze was in de wolken om me weer eens te zien na die maanden van vreselijke beroering. Ik voelde me zo opgelucht dat ik weer in Amerika was. Op de dag vóór we uit Los Angeles zouden vertrekken naar St. Louis waar Yeslam moest vergaderen, belde Mary Martha me in tranen op. Haar broer Jimmy was verdwenen terwijl hij met zijn eigen vliegtuig van Arizona naar Californië vloog. Er was een zoektocht georganiseerd, vertelde ze ons, en zij vloog naar Arizona om bij haar ouders te zijn.

In zo'n situatie kon ik Mary Martha natuurlijk niet in de steek laten. Ik stond erop dat we bij haar bleven. Yeslam kwam in actie. Tegen de tijd dat Mary Martha en ik in Arizona aankwamen, had hij twee vliegtuigen gecharterd voor de zoektocht naar Jimmy en was zelf co-piloot van een ervan. Een hele vloot vliegtuigen bleef in de lucht van zonsopgang tot zonsondergang, vijf dagen lang tot uiteindelijk het wrak van Jimmy's vliegtuig werd gevonden. Yeslams gezicht was gespannen en getekend. Hij wilde er niet over praten. Het herinnerde me eraan dat zijn eigen vader bij een vliegtuigongeluk was omgekomen toen Yeslam pas zeventien was.

Ik voelde diep medelijden met Mary Martha en de Berkley's. Wij moesten echter weg vanwege Yeslams zaken. Zwijgend en met zwaar gemoed keerden we terug naar Saoedi-Arabië. Het was een verschrikkelijke zomer geweest.

Heel Saoedi-Arabië leek gehypnotiseerd door de politieke vulkaanuitbarsting in Iran en de asregen die over het Midden-Oosten was neergedaald. We praatten over niets anders. Een van onze incidentele gasten op de donderdagavonden was John Limbert, een Amerikaanse diplomaat. Op zo'n tennisavond in oktober vertelde hij ons dat hij de volgende dag naar Iran zou vertrekken. Een paar dagen later was hij een van de gegijzelden in de Amerikaanse ambassade in Teheran. Hij en tientallen anderen werden triomfantelijk voor de tv-camera's getoond om de macht van de islamitische wraak op de goddeloze Amerikanen te bewijzen. John hoorde tot de groep van 52 gijzelaars die 444 dagen gevangen werd gehouden. Het was een gruwelijke beproeving voor zijn vrouw Parvanai; we waren allemaal overstuur.

Op een novemberochtend kwam Yeslam overhaast terug naar huis vanaf zijn werk, lijkbleek en geagiteerd. 'Mekka is bezet,' vertelde hij me. Honderden islamitische extremisten hadden de Grote Moskee bestormd en hadden de macht gegrepen in de heiligste plaats van de islam. Vanaf de minaret legde hun leider opruiende verklaringen af over de corruptie en het losbandige leven van de al-Sauds – in het bijzonder van prins Nayef, de gouverneur van Mekka, wiens overmatige gebruik van whisky bij iedereen bekend waren. De extremisten hadden zich toegang tot Mekka verschaft met vrachtwagens van de Bin Ladin Corporation, die immers nooit werden doorzocht.

We moesten de eersten zijn geweest die op de hoogte waren. De Bin Ladins hadden een permanente staf werknemers in een onderhoudskantoor in Mekka. Toen de rebellen de Grote Moskee bestormden, belde een Bin Ladin-werknemer direct naar het hoofdkantoor in Djedda en meldde dat er gewelddadigheden waren uitgebroken. Vlak daarna sloten de opstandelingen de telefoonlijnen af. Het klinkt ongelofelijk, maar het was de Bin Ladin Corporation die koning Khaled informeerde dat er een opstand was uitgebroken in de heiligste plaats van de islam.

Een van de eerste beslissingen van de koning was het afsluiten van alle telefoonlijnen. Ik wilde mijn moeder bellen om haar gerust te stellen, maar ik kon op geen enkele manier aan een lijn komen. De kranten durfden de aanval een aantal dagen lang niet te melden. Het gerucht verspreidde zich toch. Er brak tumult uit. Het luchtverkeer werd aan de grond gehouden.

Het huis liep vol en vervolgens weer leeg; in golven renden de broers in en uit met het laatste nieuws. Yeslam was buiten zichzelf en spoedde zich als een bezetene van huis naar kantoor. De Bin Ladins hadden de enige gedetailleerde kaarten van Mekka, en met name van de Grote Moskee. Salem bleef dag en nacht bij de prinsen. Na dagen van discussie en pogingen om te onderhandelen met de extremisten maakten ze plan na plan voor een militaire aanval op de door de extremisten bezette moskee. Allemaal mislukten ze.

Vervolgens vertelde Yeslam me dat zijn broer Mahrous was gearresteerd op de weg van Mekka naar Djedda. De politie had een pistool in zijn auto gevonden. Mahrous was tegenwoordig een streng religieus man, nadat hij een paar jaar als playboy had geleefd. Net als Yeslams zoogbroer Mafouz, droeg hij zijn *tobe* kort, om zijn enkels te laten zien en zijn strikte soberheid te tonen. Afgezien daarvan beschouwde ik hem gewoon als een van Yeslams broers. Was Mahrous echt betrokken geweest bij een complot tegen de al-Sauds?

Ten slotte werden de beroemde Franse GIGN-paratroepen erbij gehaald. Zij lieten het souterrain van de moskee vol water lopen en doodden veel extremisten. (Ze moesten wel 's werelds snelste bekering tot de islam ondergaan voor ze het gebouw mochten naderen.) In een land zonder journalistiek deden de wildste geruchten de ronde: de Fransen zouden de rebellen hebben geëlektrocuteerd; het waren helemaal geen Fransen geweest; de rebellen waren niet echt gevangengenomen, en zo verder. Toch werden vervolgens in het hele land tientallen mannen in het openbaar geëxecuteerd.

Mahrous mocht de gevangenis uit. Ik wist dat er veel geruchten de ronde deden dat Mahrous in feite een van de voornaamste leden was van de extremistische groep en dat hij hen had geholpen de vrachtwagens van Bin Ladin in handen te krijgen. De mensen zeiden dat hij de enige verdachte was die uit de gevangenis werd ontslagen. Maar de Bin Ladins hebben nooit meer een woord gezegd over zijn arrestatie. De familie Bin Ladin leefde onopvallend, maar had wel de macht om hun eigen mensen te redden.

Hoe dan ook, ik voelde me niet langer veilig in mijn volmaakt gladde vissenkom. Niemand in Saoedi-Arabië sliep goed in deze lange, spannende weken.

Begin december hoorden we dat er geweld was uitgebroken in Qatif in het oosten van Saoedi-Arabië. Er waren relletjes en er vielen veel doden. Het was een regio die werd bewoond door een kleine minderheid van alom beschimpte niet-wahabitische moslims – het waren sjiieten, net als de meeste Iraniërs. Misschien wel beïnvloed door Khomeini's revolutie in Iran waren de sjiieten dat jaar in ongebruikelijk grote aantallen de straat op gegaan voor hun jaarlijkse processie ter nagedachtenis van de dood van Hoessein, de kleinzoon van de profeet Mohamed. We hoorden dat de religieuze politie in de processie had ingegrepen. Het aantal doden was onbekend, maar de openlijke opstand had diverse dagen geduurd. Yeslams paniek werd hysterischer, en hoewel ik probeerde hem te kalmeren, was ook ik bang. Wat zou er van ons allen terechtkomen?

Amper drie weken na de opstand in Mekka viel de Sovjet-Unie Afghanistan binnen. De gebeurtenissen in de wereld leken ons in te sluiten. De Saoedi's waren al uit hun evenwicht gebracht door een revolutie in een buurland, een spectaculaire binnenlandse opstand en een toenemend radicalisme in eigen land, en nu zagen ze hoe Russische tanks voortrolden door een ander land in de regio.

De agressieve, atheïstische, communistische grootmacht viel een land aan van arme en fatsoenlijke moslims. De al-Saud-prinsen stonden net als iedereen in de islamitische wereld versteld. Na wekenlang geen actie te hebben ondernomen besloten de prinsen dat ze moesten laten zien dat ze echt wel gaven om hun medemoslims. Ze zouden het Afghaanse verzet geldelijk steunen.

Yeslam vertelde me dat in de moskee mensen werden opgeroepen om geld, apparatuur en gebruikte kleren te sturen naar de Afghanen die vochten tegen de Russische soldaten, en naar de vluchtelingen. De regering beloofde financiële ondersteuning aan vrijwilligers die naar Afghanistan gingen om de moedige moedjahedien, hun moslimbroeders, te steunen.

Onder de vrijwilligers bevond zich mijn zwager Osama.

Osama was net afgestudeerd toen hij het ging opnemen voor de Afghaanse zaak. Hij vertrok nogal snel – er was geen tijd voor afscheidsfeestjes. Door zijn lange gestalte en zijn onbuigzame ideeën was Osama een opvallende figuur, maar hij leek niet direct de beste man voor een leidersrol in het Afghaanse verzet. Desalniettemin maakte hij regelmatig lange reizen naar Pakistan waar hij hielp met de logistiek voor het doorsluizen van Saoedische hulp naar de vrijwilligers. Hij hielp bij het opzetten van cursussen en trainingskampen in Pakistan. Al snel woonde Osama er min of meer het hele jaar en raakte hij steeds meer betrokken bij de Afghaanse strijd.

Vervolgens ging Osama naar Afghanistan zelf. Volgens zijn zussen, die vol ontzag over hem spraken, werd Osama een sleutelfiguur in de strijd tegen de Russische grootmacht. Hij importeerde zware machines en bemande ook zelf graafapparatuur waarmee in heel Afghanistan tunnels werden gemaakt om er veldziekenhuizen voor de strijders en wapenvoorraden in te huisvesten. Hij groef loopgraven om de oprukkende Afghaanse strijders te beschermen als ze Russische bases aanvielen. We hoorden dat Osama ook zelf de wapens had opgevat in een gevecht van man tot man.

Osama maakte naam. Hij was niet zomaar Bin Ladin-broer nummer zestien of zeventien. Hij werd bewonderd. Hij was betrokken bij een nobele zaak. Osama was een strijder – een Saoedische held.

Net als bijna alle andere mensen in Saoedi-Arabië gaven Yeslam en ik spullen voor de Afghaanse strijd tegen de Russische tanks. We pakten alle kleren in die we niet meer nodig hadden in en stuurden geld.

Osama was niet het enige familielid wiens band met de islam een demonstratiever karakter kreeg. Een aantal schoonzussen die ik altijd als vervelend en onderworpen had beschouwd, verrasten me met hun activiteiten nu het erop aankwam islamitische waarden te verdedigen. Sheikha, een van Yeslams oudere zussen, ging zelfs naar Afghanistan om een enorme zending hulpgoederen onder de hulpbehoevenden te verdelen. Ze ging natuurlijk met een gevolg en zag geen gevechten. Maar ik moet Sheikha nageven dat ze niet alleen maar de koran prevelde en correct gedrag propageerde – ze was moedig genoeg om in actie te komen.

Net als in alle oorlogen droegen de vrouwen in Afghanistan de zwaarste lasten. Afghanistan was voor een moeder een nachtmerrie die werkelijkheid wordt: al die jonge vrouwen en kinderen die naar kampen moesten vluchten, die berooid in de regen zaten, en die als dieren werden samengedreven door mannen met ruwe stemmen. Het was gruwelijk. En het zou zelfs nog erger worden toen jaren later de fundamentalistische Taliban de macht overnamen.

1979 was voor de hele islamitische wereld een keerpunt. Voor mij was het of er een felle schijnwerper op mijn eigen leven was gezet. Nog meer dan voorheen realiseerde ik me dat ik in een luchtbel leefde, omgeven door een vreemde cultuur die vatbaar was voor plotselinge uitbarstingen en explosief geweld.

Ik was nog erg jong, midden twintig, en we waren pas vijf jaar getrouwd. Toch had ik nu al veel verantwoordelijkheden en zorgen. Ik moest mijn kinderen beschermen. De gezondheid van mijn moeder ging achteruit; nieuws over de situatie in Iran maakte haar emotioneel instabiel. Ze sloeg mijn uitnodigingen om naar Djedda te komen af en ik voelde me niet in staat om Saoedi-Arabië te verlaten.

Yeslam bleef intussen geïrriteerd en bang. Hij kreeg nachtmerries en maakte me soms 's avonds wakker voor een spelletje backgammon om te kalmeren. Ik probeerde van alles om hem gerust te stellen. Terwijl de wereld buiten onze muren soms leek in te storten, zag ik mijn man veranderen in een tobbende, kinderachtige vreemde.

12 Yeslam

Het drong nu tot me door dat er echt iets mis was met Yeslam. Het was geen tijdelijke stemmingswisseling. Hij was de hele tijd nerveus, hij had nachtmerries, hij was overal bang voor, met name voor doodgaan. Hij had verschillende lichamelijke klachten, buikpijn, ademhalingsmoeilijkheden, zweetaanvallen, waarvoor eindeloze hoeveelheden onderzoeken en dokters nodig waren, maar niets wees op iets concreets.

Ik realiseerde me dat Yeslam sinds de opstand in Mekka nooit meer echt gelukkig was geweest. Aanvankelijk dacht ik dat de oorzaak lag in de politieke situatie in Saoedi-Arabië. Eerst de schok van de islamitische revolutie in Iran in 1979, en daarna de onvoorspelbare reactie toen Saoedi-Arabië scherp begon af te wijken van de weg die ik dacht dat het land in zou slaan.

Geld had enorme veranderingen teweeggebracht in Saoedi-Arabië. Deze veranderingen reikten echter niet verder dan de oppervlakte. Geld bracht veel nieuwe dingen, maar dan ook alleen dingen. Die brachten geen veranderingen in het denken van de mensen. De nieuwe gebouwen, grotere huizen, enorme moderne winkelcentra en vakanties naar Europa leken niet te leiden tot meer vrijheid.

Geld trok Saoedi-Arabië een stuk in de richting van de moderne wereld, maar de strenge, puriteinse, zelfverzekerde cultuur trok het land terug naar zijn extreme traditionele beperkingen.

Wahabitische moslims geloven dat de waarheid ligt in de letterlijke lezing van de koran. Niemand mag deze lezing aanpassen aan de moderne tijd. De wetten zijn streng. Ze regelen alles. De Wahabieten laten zich in hun leven leiden door achterom te kijken, als in een achteruitkijkspiegel, naar de tijd van Mohamed. Nadat ze zich een paar jaar hadden gewenteld in hun nieuwe rijkdom, bleek dat de Saoedi's in principe helemaal geen verandering wilden.

Misschien vocht Yeslam een vergelijkbare strijd met zichzelf uit. Hij stond onder grote druk. Toen Bakr en Salem begonnen de Bin Ladin Corporation tegen Yeslam op te zetten, moedigde ik hem aan voor zichzelf op te komen. Een volgzamere vrouw, een Saoedische, zou hebben gezegd: 'Ma'alesh, zo is het leven.' Ze zou hem hebben aangemoedigd te blijven in de positie die God aan hem had toegewezen: de tiende zoon. Yeslam zou zich hebben onderworpen aan het regime van zijn minder competente oudere broers en zijn toevlucht hebben gezocht in zijn geloof en traditie. Maar zo'n vrouw was ik niet. Dat kon ik niet laten gebeuren. Ik wilde niet dat hij zich schikte en zich onderwierp.

Ik ben een vechter, en ik moedigde Yeslam aan te vechten. Ik spoorde hem aan de confrontatie met zijn broers aan te gaan en veranderingen af te dwingen. Ik praatte op hem in dat hij de intelligentste en beste van hen was. Ik moest er niet aan denken dat Yeslam zich zou onderwerpen aan zijn sociale omgeving, aan de bescheiden positie van de tiende zoon in een familie waarin nooit iets veranderde. Ik had hem nodig voor de ontwikkeling van Saoedi-Arabië, zowel voor mezelf als voor de meisjes. Ik kon zelf niets veranderen, want in Saoedi-Arabië was het ondenkbaar dat een vrouw, en buitenlandse bovendien, ook maar iets voor elkaar kon krijgen.

Alleen Yeslam, met zijn intelligentie en macht, deed me hopen dat het land langzaam zou veranderen, en ons daardoor meer vrijheid zou veroorloven. Een Saoedische vrouw zou Yeslam misschien meer gemoedsrust hebben gegeven, maar ik kon zijn zwakte niet accepteren. En om eerlijk te zijn: ik begon ook in paniek te raken.

Ik moedigde Yeslam aan zijn eigen weg te gaan. In 1980 ging hij van de ene dag op de andere niet meer naar kantoor, en startte een makelaardij in Djedda alsmede een grote financiële instelling in Zwitserland, waar hij hooggekwalificeerd personeel in dienst nam om investeringen te doen voor de schatrijk geworden Saoedische zakenlieden. Het was een succes, dat was al snel duidelijk. Yeslams bedrijven zouden het heel goed gaan doen, en dat gaf me een heerlijk gevoel. Ik zei tegen hem: 'Let maar op. Salem en Bakr zullen je nu wel weten te vinden.' En zo gebeurde het ook. Ze boden Yeslam een salaris aan als hij terug wilde keren naar de Bin Ladin-groep. Het was de eerste keer dat een lid van de familie meer zou krijgen dan het jaarlijkse dividend.

Yeslams waarde in geld steeg enorm in deze tijd. Toen ik hem voor het eerst ontmoette, was Yeslams aandeel in de Bin Ladin Corporation waarschijnlijk ongeveer 15 miljoen dollar waard, al vroeg ik er nooit naar. Het merendeel ervan zat in het bedrijf en was voor mij eigenlijk geen reëel bedrag.

Nu de Bin Ladin Corporation echter bloeide en zijn eigen zaken een grote vlucht namen, kwam de persoonlijke waarde van Yeslam plotseling in de buurt van de 300 miljoen dollar. Hij behoorde tot de rijkste van de broers, net zo rijk als Salem en Bakr. In de praktijk maakte het voor ons dagelijks leven niet veel uit. We namen nog steeds lijnvluchten. Ik kocht nooit grote hoeveelheden haute couture. Ik wist wel dat we ongekend rijk waren. Ik vond ook dat Yeslam daar trots op kon zijn.

Yeslam was echter niet gelukkig, ondanks de enorme vlucht die zijn zakelijke succes zichtbaar nam, zowel individueel als binnen de nu bloeiende Bin Ladin-groep. Hij werkte nu meer, bracht de hele ochtend door in het Bin Ladin-hoofdkwartier, en ging na het avondgebed naar zijn eigen kantoor. Hij werkte soms wel tot negen of tien uur 's avonds. Onder de broers gingen de rivaliteit en het kinderachtige gekibbel gewoon door, evenals de steken onder de gordel die aan Yeslam vraten en zijn ego ondermijnden.

Tegenover de buitenwereld bleef de relatie tussen hemzelf en de familie hoffelijk, maar ik wist dat er spanningen waren tussen hem en zijn broers. Op een zeker moment zei Yeslam tegen me: 'Vroeger was Salah altijd hier. Tegenwoordig als Bakr zijn handen gaat wassen, gaat Salah mee om de handdoek voor hem aan te reiken.' Intriges staken de kop op en richtten zich fluisterend tegen hem.

Door zijn eigen weg te gaan en door boven zijn positie uit te stijgen, had Yeslam een vrijwel onvergeeflijke inbreuk gepleegd op de ongeschreven sociale code.

Ik was niet de enige die ervoor had gezorgd dat Yeslam zich had losgemaakt van de sociale conventies. Hij was zelf ook ambitieus. Hij had in het Westen gewoond waar hij had kennisgemaakt met een cultuur waarin men begreep dat je op eigen kracht iets van jezelf kunt maken. Maar om dat te doen, moest je denken en handelen als een westerling. En Yeslam was een Saoedi.

Ik weet zeker dat hij, als hij als kind meer zou zijn aangemoedigd, zijn talent volledig had kunnen ontplooien. Zijn moeder was echter fatalistisch. Een van haar favoriete zegswijzen was: 'Het is de wil van God.'

Ik probeerde hem die aanmoediging te geven waarvan ik dacht dat hij die nodig had. De tegenstrijdigheden van zijn cultuur bleven aan Yeslam vreten. Een Saoedi, een Bin Ladin, kan geen confrontatie aangaan met zijn broers of hen de rug toe draaien, niet in zaken, noch op een andere manier. Hoewel Yeslam dus deels zijn eigen individuele ambities wilde nastreven, zoals een westerse man zou doen, voelde hij zich aan de andere kant gedwongen om onderdanig te zijn en de plek in te nemen die hem was toegewezen op grond van zijn tradities.

Yeslam werd in tweeën gespleten door twee onverenigbare impulsen: de moderne, westerse ambities, ontwikkeld door zijn leven in het buitenland, en de traditiegebonden starheid van de Saoedische levenswijze. Dat zie ik nu in. Toen zag ik alleen zijn gezondheidsklachten, en een nieuwe zwakheid en afstandelijkheid bij mijn echtgenoot.

Yeslam consulteerde voortdurend allerlei medische specialisten in het buitenland. Saoedische dokters maakten hem nerveus. Ik dacht dat een psychiater hem zou kunnen helpen zijn problemen, die volgens mij eerder van psychische dan fysieke aard waren, te overwinnen. Maar Yeslam weigerde een psychiater te consulteren, ondanks mijn aandringen.

Ik probeerde zijn angsten te verminderen, zijn ongerustheid weg te nemen. Ik speelde eindeloos veel spelletjes backgammon met hem als hij 's nachts niet kon slapen. Op alle mogelijke manieren probeerde ik hem te kalmeren. Op een gegeven moment slaagde ik erin in Djedda een westerse dokter te vinden waarbij hij zich op zijn gemak voelde. Matthias Kalina had de leiding over het militaire ziekenhuis. Hij en zijn vrouw Sabine werden goede vrienden van ons. Zelfs jaren later, toen ze naar Canada waren verhuisd, liet Yeslam dokter Kalina altijd overvliegen naar Zwitserland om te praten over zijn gezondheid. Dokter Kalina schreef Yeslam Temesta voor om zijn nervositeit te verminderen, maar Yeslam hakte elke pil altijd in minuscule stukjes en nam daar slechts één van in. Dat had natuurlijk geen effect.

Hij werd bang voor vliegen, en dus vergezelde ik hem overal naartoe. Ik plande al onze trips zo veel mogelijk in de schoolvakanties, zodat de meisjes ook mee konden. (Ik liet hen nooit alleen in Saoedi-Arabië achter. Zelfs niet voor een weekend.) Hij kon niet tegen grote groepen mensen. We gingen een keer in de zomer naar Los Angeles en verbleven daar in het huis van Ibrahim. Afgezien van de gebruikelijke doktersbezoeken zijn we het huis in die zes weken volgens mij niet meer dan drie keer uit geweest.

Yeslam werd een vreemde voor me. Ik gaf zo intens om hem, vertrouwde zo veel op hem, dat ik probeerde de realiteit van zijn toestand niet onder ogen te zien. Ik had hem nodig als de slimme geëmancipeerde man die ik getrouwd had. Ik verlangde naar de warme, attente vader en de bedachtzame zorgzame echtgenoot die ik gekend had. Ik kon niet omgaan met de realiteit van deze prikkelbare, angstige vreemdeling. Ik moest mezelf ervan overtuigen dat dit buien waren – die dreven wel over.

Ik denk niet dat iemand anders kon zien dat er iets niet goed ging. Mijn echtgenoot was uitstekend in staat naar buiten een gelijkmatige indruk te maken. In werkelijkheid maakte Yeslam een soort zenuwinzinking door.

Dit had voor mij een persoonlijke mijlpaal tot gevolg. Het was in de zomer van 1981 dat ik me realiseerde dat ik weer zwanger was. We waren op vakantie in Genève en ik voelde me bijzonder gelukkig. Gezien mijn verleden was het misschien niet logisch, maar ik was ervan overtuigd dat we eindelijk een zoon zouden krijgen.

Toen ik me naar Yeslam haastte met het goede nieuws, verwachtte ik dat hij net zo blij zou zijn als ik, maar hij keek me aan met een blik die ik nog nooit eerder had gezien. Hij zei dat hij altijd maar twee kinderen had gewild. Hij zei ook dat hij nog maar net aan het herstellen was van zijn ziekte en dat hij een baby erbij niet aan zou kunnen. Hij wilde dat ik het zou laten aborteren.

Ik voelde me verdoofd. Ik wilde Yeslam helpen. Ik vind dat je een man niet moet dwingen vader te worden als hij dat niet wil. Yeslams reactie was zo heftig, hij leek zo onvermurwbaar dat ik me zorgen maakte dat hij het kind altijd zou afwijzen als ik mijn zwangerschap doorzette. Waarschijnlijk helemaal als het weer een meisje zou zijn.

Mijn blijdschap sloeg om in verwarring. Hoe graag ik dit kind ook wilde, ik ging akkoord met een abortus.

We keerden terug naar Saoedi-Arabië. Ik dacht dat ik het allemaal achter me kon laten, maar ik had een moreel gat voor mezelf gegraven waar ik nooit meer helemaal uit zou klauteren. Hoewel ik mijn gedachten overdag kon uitschakelen, kon ik dat 's nachts niet met mijn dromen. Ik kreeg nachtmerries. Daarin werden Wafah en Najia van me afgenomen. Ik had een kind vernietigd en nu was ik het niet langer waard om een moeder te zijn.

Mijn leven was somber, ik werd depressief. Ik had het gevoel dat ik iets vreselijks had gedaan.

Ik was boos op mezelf: ik had niet de geestelijke kracht om me tegen mijn man te verzetten. Ik had altijd alles voor Yeslam over gehad, maar nu vond ik dat hij iets onverdraaglijks aan me had gevraagd, iets wat hij nooit had mogen vragen. Hij had zich ongehoord zelfzuchtig gedragen. En toen het duidelijk was dat ik diep leed onder de beslissing die hij mij had opgedrongen, deed Yeslam of er niets belangrijks was gebeurd. Of ik alleen een kies had laten trekken.

Ik wist echter dat wat ik had gedaan oneindig veel erger was. Ik had mijn ongeboren kind verlaten en mijn echtgenoot had ons allemaal verlaten.

Hierna maakten we een moeilijke periode door. Ik voelde me erg terneergeslagen. Nu ik terugkijk, realiseer ik me dat ik een depressie had. Hoewel ik probeerde een normaal leven te leiden met de kinderen, beleefde ik er niet veel plezier aan. Ik voelde me op een pijnlijke manier alleen, zoals ik nog niet eerder had ervaren. Ik had er altijd volledig op gerekend dat ik op Yeslam kon terugvallen. Terwijl ik altijd had klaargestaan wanneer hij me nodig had, kon hij mij nu niet diezelfde steun bieden.

Misschien was dit het begin van het einde.

13 Kleine meisjes

Zelfs in mijn somberste periodes deed ik mijn uiterste best om mijn dochters tot vrije mensen op te voeden – zodat ze zichzelf konden zijn. Ik dacht dat ik achter de hoge muren om ons huis wel een kleine ruimte kon bouwen waar we konden proberen een normaal leven te leiden en waar ik kon trachten de verschillen tussen mijn waarden en die van de buitenwereld met elkaar te verzoenen. Ik kocht fietsen en rolschaatsen voor de kinderen en leerde hen zwemmen in Haifa's zwembad. Ze waren allebei gek op muziek; ze waren voortdurend aan het repeteren en ze voerden kleine shows op voor Yeslam en mij. Hun hele jeugd bleven mijn grappige dochtertjes toneelspelen, verkleedpartijtjes houden en liedjes van mijn idool Elvis nadoen.

Danslessen waren een onmogelijkheid in Saoedi-Arabië, net als muzieklessen, hoewel mijn dochters gefascineerd waren door klassieke muziek. Toen Wafah net drie jaar was zat ze op een middag als betoverd naar een pianoconcert van Tsjaikovsky te luisteren. Ze had zelf gevraagd om het op te zetten. ('Mam, zet de "grote muziek" eens op, mam, *la grande musique.*') Een vriendin van mij was die middag op bezoek en ik herinner me hoe ze gegrepen werd door de aanblik van Wafah, die roerloos en ingespannen zat te luisteren, bijna met haar hoofd in de luidspreker. Ik denk dat ze wel speciale gaven had, maar de simpele, normale ontwikkeling van mijn dochters artistieke talenten was in Saoedi-Arabië niet haalbaar. Je kon nergens lessen volgen.

Ik deed mijn best om mijn dochters net zo'n jeugd te geven als ik had gehad. Ik nodigde buitenlandse gezinnen met jongens van hun leeftijd uit om ons te bezoeken. Soms bleven ze zelfs slapen. Ik wilde dat Wafah en kleine Najia jongens gewoon als mensen zouden zien, zoals ze waren – de manier waarop hun kleine nichtjes dat nooit konden. Voor de Bin Ladin-nichtjes waren jongens onbekend terrein, vijandelijk en machtig, zelfs als ze broers hadden. Ik zag dat niet graag.

Toch was ik ook veeleisend. Ik wist dat ze materieel bevoorrecht waren en dus was ik vastbesloten dat ze van jongs af aan de waarde van werken moesten begrijpen om het werk van anderen te waarderen. Dat vond ik erg belangrijk.

Yeslam en ik grepen elke kans aan om naar Zwitserland te gaan waar we een herenhuis hadden gekocht in een klein dorp bij Genève. Daar leefde ik zoals ik wilde en droeg de kleren die ik wilde dragen. Ik kon zelf naar de bioscoop rijden en ik kon alleen over straat lopen. Ik leerde de kinderen skiën, kocht als een gek boeken in en ik zuchtte als ik dacht aan die lange, saaie maanden in Djedda.

Ik zag er altijd tegenop om terug te gaan naar Saoedi-Arabië. Voor de kinderen was de overgang tussen onze twee werelden soms ook wreed. Toen ze klein waren, probeerden ze altijd de *abaya* uit mijn gezicht te rukken wanneer ik mezelf aan het bedekken was als we boven Djedda cirkelden. Toen ze groter werden, hielden ze daarmee op. Ik weet niet wat erger was.

Op een voorjaarsmiddag in 1981 realiseerde ik me plotseling dat mijn kleine meiden nu toch wel snel naar school zouden moeten.

Tot op de dag van vandaag bestaat er in Saoedi-Arabië geen leerplicht voor meisjes. Veel Saoedische mannen sturen hun dochters niet naar school, en maar weinig hebben het gevoel dat het belangrijk is. Zelfs onderwijs voor jongens is van betrekkelijk recente datum: tot de Tweede Wereldoorlog waren er uitsluitend traditionele scholen die lesgaven in Arabisch, een beetje islamitische geschiedenis en de koran. In het begin van de jaren zestig van de twintigste eeuw weerstond prinses Iffat, de vrouw van koning Faisal, enorm verzet van islamitische leiders en stichtte de eerste meisjesschool van Saoedi-Arabië, Dar el Hanan. Yeslam stelde voor dat we Wafah, zes jaar, en de kleine Najia van vier daarnaartoe zouden sturen.

Ik wist dat het moeilijk zou zijn voor ze, maar ik had geen keus. Saoedische kinderen mochten niet naar de scholen voor buitenlanders. Bovendien waren mijn meisjes Bin Ladins. Ik kon ze niet isoleren van hun vaders cultuur. Ze moesten deze uitdaging maar onder ogen zien. En voor de eerste keer zouden ze alleen zijn.

Ik had de kinderen van vele zaken in Saoedi-Arabië afgeschermd, met als resultaat dat ze niet eens correct Arabisch spraken. Ik probeerde ze voor te bereiden, vertelde ze dat ze vriendinnetjes zouden krijgen, Arabisch zouden leren en dat dat leuk zou zijn. Ik keek toe hoe ze hun klas binnen liepen in hun donkergroene schort en witte blouse met tierelantijntjes, en de moed zonk me in de schoenen. Ze huilden niet.

Saoedische kinderen zijn levendig en grappig, net als kinderen overal ter wereld. Misschien zijn ze verwend door hun dienstmeisjes en moeders, of hebben ze weinig discipline; misschien is er wat wrijving tussen jonge jongens, die weten dat ze als superieur worden beschouwd, en hun zusjes. Maar kinderen zijn kinderen, en het is onmogelijk de vonk van hun natuurlijke intelligentie te onderdrukken.

Maar op een aantal punten verschillen de Saoedische kinderen van die van mij. Ze worden al op erg jonge leeftijd getraind om zich te houden aan de strenge sociale code. De zekerheid dat vrouwen een inferieure status hebben en onderdanig zijn, is er bij de opvoeding ingestampt. In de auto kon Haifa's oudste zoon, die pas tien of twaalf was, haar bits instrueren haar sluier om te doen als hij mannen aan zag komen. Kleine meisjes wisten dat ze discreet moesten lopen, praten en gekleed moesten gaan. Ze moesten onderworpen, gedwee en gehoorzaam zijn: het was niet ongebruikelijk een jonge jongen een kamer te zien binnenlopen die dan zijn oudere zus gebaarde dat ze uit haar stoel moest opstaan.

Op school hing deze kinderen een soort hersenspoeling boven het hoofd. Ik zag het gebeuren met mijn dochters. De lessen – Arabisch, wiskunde, geschiedenis – werden geleerd door opdreunen, de papegaaimethode, zonder dieper begrip van de werkelijke inhoud. Er was geen sport, geen discussie, geen debat; geen spelletjes, geen knikkers, geen driewielers. De religieuze scholing was het belangrijkste en nam elke dag de helft of meer van de tijd in beslag.

Ik herinner me dat ik, toen Wafah zeven of acht was, op een avond door haar oefenschrift bladerde en zag dat ze in haar kinderachtige Arabische schrift had geschreven: 'Ik haat joden. Ik houd van Palestijnen.' Wat was er aan de hand met mijn dochter? Als ze al iemand ging haten, dan wilde ik wel dat ze daar een goede reden voor zou hebben. Ze wist niets over het Arabisch-Israëlische geschil.

De volgende dag ging ik naar het schoolhoofd en zei: 'Mijn

dochter weet niet eens waar Palestina ligt. Ze weet niets over Israël. Ze krijgt nog niet eens aardrijkskunde. Hoe kan ze leren te haten als ze er niets over weet?'

Het hoofd, een kleine maar hooghartige vrouw, was volkomen ongevoelig voor mijn protest. 'Dit is niet iets wat u ter discussie moet stellen,' zei ze tegen mij. 'U bent een buitenlandse, u kunt dat niet begrijpen. Weet uw man hiervan?'

Ik probeerde waardig te blijven. Ik vertelde haar dat mijn man zich volkomen bewust was van mijn standpunt en dat ik hem zou vragen haar te bellen. Vervolgens ging ik naar huis, belde Yeslam, en liet hem naar de school bellen om het hoofd te zeggen dat ik de volle leiding had over de opvoeding van de kinderen.

Het was een soort overwinning – ik wilde dat ze wist dat Yeslam me de volledige autoriteit over de kinderen had gegeven, iets wat weinig andere Saoedische vrouwen konden claimen. Maar in mijn hart wist ik dat ik niets kon doen om te verhinderen dat de school mijn meisjes naast lezen en schrijven blindelings leerde haten. Ik had geen keus. Ik moest ze elke dag van acht tot twee overdragen. Ik moest dit gewoon accepteren; het werd een van een lange lijst dingen die ik tegen mijn wil ging accepteren.

Hoewel ik geen verandering in hun schoolwerk kon aanbrengen, was ik nog steeds hun moeder: ik kon mijn kinderen beïnvloeden. Ik begon een bewuste poging om de meisjes te leren redeneren – hoe je logisch nadenkt, hoe je je standpunt bepaalt. Ik haalde ze om twee uur op van school en bij de lunch bespraken we vaak het nieuws of de religieuze tolerantie, op het niveau van een kind natuurlijk. Ik stelde een programma op voor activiteiten na schooltijd – gestructureerd spelen met Playmobil en boetseerklei, en sport. De meisjes

gingen muziek leren. Ik bedacht dat ik misschien een privé-
lerares moest aannemen om thuis les te geven.

Het deed me niets dat Wafah hoge cijfers kreeg op school. Ik
wist dat haar lerares een Bin Ladin altijd de beste cijfers zou
geven, of ze het nou verdiende of niet. Op die manier werd alles verdoezeld. Bovendien weerspiegelden Wafah's cijfers hoog-
uit haar snelle geheugen, niet haar begrip van de lessen.

Op een dag ging ik geïrriteerd naar haar klassenlerares en
zei haar dat ik wilde dat ze Wafah op dezelfde manier behandelde als de andere kinderen. Een paar dagen later kwam Wafah huilend thuis: haar lerares had haar een klap in het gezicht
gegeven. Ik ging terug naar de lerares, niet om te protesteren,
maar gewoon om te zeggen dat ik dacht dat dit niet de beste
methode was om discipline aan te leren. Irate, de klassenlerares, zei dat Wafah gelogen had – ze had nooit zoiets gedaan.
Ze zei tegen de kinderen: 'Wafah jokt, nietwaar? Ik heb haar
niet geslagen, of wel soms?' Eén moedig kind, ook een halve
buitenlandse, stak echter haar hand op en zei dat Wafah de
waarheid had verteld. Dat arme kleine meisje had de rest van
het schooljaar een rottijd.

Ik kreeg al snel door dat mijn interventie op school geen
goed deed, maar ik kon het niet aanzien dat mijn kinderen in
die geest werden opgevoed. Hoewel het me speet dat ik de
meisjes extra werk gaf, nam ik een lerares in dienst om ze na
schooltijd les te geven. Ik zei haar dat ik wilde dat mijn kinderen hun lessen begrepen, en niet alleen maar uit het hoofd
leerden. De lerares heeft me nooit gevraagd wat ik daarmee
bedoelde – een Saoedi zegt niet dat ze iets niet begrijpt omdat ze dan gezichtsverlies zou lijden – maar ik kon zien dat ze
moeite had om het uit te vissen. Ik denk dat ze zich uitein-

delijk realiseerde dat het een betere manier van leren was. Het redde zeker het verstand van Wafah en Najia.

Op een dag kwam Wafah weer huilend thuis. Er was muziek op school en ze was gaan dansen. Een klasgenootje siste haar toe dat ze moest stoppen. 'Dat is *haram*,' liet ze Wafah weten. 'Dansen is *haram*. Weet je nou echt helemaal niets?' Wat doe je als je kind je vraagt of dansen een zonde is? 'Dansen is helemaal niet *haram*,' troostte ik haar, 'je mag best dansen.'

Ik zou haar hebben kunnen waarschuwen dat ze thuis, in afzondering, moest dansen. Dit soort dingen konden haar op een kwade dag problemen bezorgen. Maar hoe kun je je kinderen wijsmaken dat muziek en dansen zondig zijn? Deze talloze, eindeloze, domme, bekrompen, kleine beperkingen deden me pijn. Ik kon ze niet opleggen aan mijn dochters.

De woorden van Khalil Gibran achtervolgden me bij de opvoeding van kleine meisjes.

Je kinderen zijn niet je kinderen.
Het zijn de zonen en dochters van het verlangen van het Leven
naar zichzelf.
Ze komen door jou maar niet van jou, en hoewel ze bij je zijn,
zijn ze toch niet van jou.
Je kunt hun je liefde geven maar niet je gedachten, omdat ze
hun eigen gedachten hebben.
Je kunt in hun lichamen wonen, maar niet in hun zielen; want
hun zielen wonen in het huis van morgen, dat je niet
kunt bezoeken, niet eens in je dromen.
Je kunt ernaar streven om te zijn als zij, maar probeer ze niet
te maken als jezelf.
Want leven kijkt niet om en talmt niet bij gisteren...'

Ik koesterde mijn kinderen; ik probeerde ze mijn liefde te geven terwijl ik accepteerde dat ze hun eigen gedachten hadden. Om me heen zag ik echter een totaal andere manier van opvoeden. In Saoedi-Arabië bestaat een andere visie op respect. Je ziet er nooit dat een kind zijn vader tegenspreekt. Voor mij gaat respect veel dieper; Mary Martha's voorbeeld had me dat geleerd. Ik denk dat hoe meer je van iemand houdt, des te meer zou je moeten kunnen praten over moeilijk dingen – oppervlakkigheid is voor vreemden. Ik wilde dat mijn kinderen meer zouden weten dan ik, intelligenter zouden zijn, met mij van mening zouden verschillen en dat ook zouden zeggen.

Ik respecteerde het karakter en de meningen van mijn kinderen zoals ik wilde dat zij die van mij respecteerden. Respect was voor mij iets geworden dat ik moest verdienen door mijn daden. Ik wilde niet dat mijn kinderen het gevoel hadden dat ze blindelings moesten gehoorzamen. Ik wilde ze niet intimideren. Ik wilde dat ze nee tegen me konden zeggen omdat ze dan ook nee tegen de wereld zouden kunnen zeggen – en zouden opgroeien als de mensen die ze wilden zijn.

Op school leerden de meisjes echter de angst van het hellevuur. Ze gingen zich zorgen maken over mijn ziel. 'Mama, als je niet bidt dan ga je naar de hel,' wist Najia te zeggen terwijl ze naar me opkeek met haar grote onschuldige ogen. Het deed me elke keer enorm pijn als ik die bezorgdheid in haar ogen zag. Ik zei dan altijd dat mijn geloof een zaak was tussen God en mij. Dat het het belangrijkste was je te gedragen op een manier die anderen hielp en geen kwaad deed. Ik vertelde mijn kleine meisjes dat ik niet wilde dat ze baden omdat ze bang waren voor de hel. Bidden is niet iets wat je doet om het op een akkoordje te gooien met God. Ik legde ze uit dat het voor innerlijke vrede is.

Het was een discussie die ik al vaak had gevoerd met mijn schoonzus Rafah. Uiteindelijk waren ze echter zinloos, want Rafahs overtuiging was absoluut. De les drong echter door tot mijn kinderen – misschien wel te goed. Op een dag vaardigde de koning een decreet uit dat alle kinderjuffrouwen in Saoedi-Arabië moslim moesten worden. Onze Filippijnse dienstbode, Dita, vertelde Wafah en Najia dat ze zich ervoor schaamde dat de koning had gezegd dat haar religie niet goed was. Wafah vroeg haar of ze in de islam geloofde; ze richtte zich geschokt op toen Dita zei dat ze er niet in geloofde. 'Waarom zou je van godsdienst veranderen als je nog steeds gelooft in je eigen godsdienst?' vroeg ze Dita. 'Wat zullen je ouders wel niet van je denken? Mijn mama zal je nooit dwingen om van godsdienst te veranderen, weet je.'

Ik vond dat lief en ook nogal diep en scherpzinnig van mijn dochtertje. Die vrijdag gingen we lunchen met mijn schoonmoeder en ik vertelde haar het verhaal. Om Yeslams reactie was onverwacht. Fronsend zei ze: 'Je hebt de deur naar het paradijs voor haar gesloten.' Wafah, met haar zeven jaar, had beseft dat Dita's geloof het punt was – niet de schijn van geloven. Maar mijn schoonmoeder was ervan overtuigd dat net doen alsof je moslim bent oneindig veel beter was dan een gelovige katholiek te zijn.

Ik begon te vrezen dat ik de kinderen geen plezier deed door ze op te voeden met westerse ideeën. Langzaam en onmerkbaar leek het dat we twee verschillende denkrichtingen ontwikkelden, net zoals we twee verschillende garderobes hadden voor Zwitserland en voor Saoedi-Arabië. In Genève droegen de kinderen kleine T-shirts en korte broeken met tierelantijntjes en ik droeg een bikini op het strand in Cannes. Zij gingen paardrijden en leerden waterskiën. Yeslam liet dat allemaal toe omdat ze jong waren – het was niet belangrijk. En bovendien waren ze in het buitenland, dus het telde niet.

De kleren die prima waren in Genève konden niet in Djedda worden gedragen – niet eens binnenshuis. Tegenover de mensen die ertoe deden moest de schijn worden opgehouden. Ik moest op mijn tellen passen. Ik zag dat de oudere nichtjes rokken droegen die langer en ingetogener waren. Toen Wafah en Najia ouder werden kwamen er steeds minder nichtjes op de verjaardagpartijtjes. Ruw met jongens spelen kon niet meer. Veel kinderen die wel kwamen, waren stijf – ze gedroegen zich niet meer als kinderen. Ze wisten niet meer hoe ze moesten schreeuwen en rondhollen, of spelen of dansen.

Mijn kinderen stapten een wereld in die niet de mijne was. De eerste keer dat ik een van hun nichtjes met een sluier zag, gilde ik: 'Nu al?' Het abstracte idee dat mijn kinderen groter werden, werd steeds realistischer. Het zou niet lang meer duren of Wafah was aan de beurt om zich in duisternis te hullen. Er was een beetje speelruimte: streng religieuze gezinnen lieten hun meisjes op negenjarige leeftijd al een sluier dragen, maar anderen wachtten tot de puberteit, tot ze twaalf of dertien waren. Maar elk meisje moest in het openbaar een sluier dragen als ze haar eerste menstruatie had gehad. Ik zag als een berg op tegen die dag, hoewel ik probeerde mezelf tot rede te brengen. Tenslotte droeg ik zelf de *abaya*; het was niet het einde van de wereld, alleen maar een stom ongemak.

Omdat ik zag dat de Saoedische samenleving steeds verder afgleed richting star fanatisme, kon ik er niet langer op vertrouwen dat op een dag mijn dochters de keuze zouden krijgen de sluier wel of niet te dragen. Ik keek naar mijn eigen *abaya* die was afgezet met flets zilveren borduursels: plotseling leek het een afschuwelijk kledingstuk, diep zwart, angstaanjagend in alles wat het vertegenwoordigde. Ik besefte dat ik, omdat ik mijn kinderen opvoedde om te geloven in vrijheid, tolerantie en gelijkheid, vrouwen van hen maakte die zouden rebelleren tegen een samenleving die hen probeerde op te sluiten. En zoals de moord op prinses Mish'al al ruimschoots had aangetoond, kon in Saoedi-Arabië een opstandige vrouw worden gedood.

Ik was een buitenlandse, en mijn man was zachtaardig en vol begrip. Maar geen andere Bin Ladin, geen van de Saoedische mannen die ik kende, zou mijn westerse waarden hebben getolereerd. Zouden Wafah en Najia net zo'n gemakkelijk leven krijgen als ik? Of zouden hun echtgenoten meer lijken op de stugge, gereserveerde Bakr? Of Mahrous, de voormalige playboy en nu islamitisch fundamentalistisch extremist? Of, een weerzinwekkende gedachte, als de starre, puriteinse Osama? Saoedische mannen waren zo onvoorspelbaar: een kennelijke liberaal kon in een paar maanden vroom worden en zijn vrouw strikte islamitische zeden opleggen.

Ik had mijn man gekozen. Ik ontving mannen in mijn huis en gaf dineetjes. Zouden mijn kinderen dezelfde keuzes kunnen maken? Of zouden ze trouwen met een neef, misschien wel door de familie geregeld, en voor de rest van hun leven aan hem worden overgeleverd, lichaam en ziel, wat er ook mocht gebeuren?

Het huwelijk van mijn dochters kon stranden; mijn eigen huwelijk kon op een kwade dag ook op de klippen lopen. Dat idee nam zelfs grotere proporties aan in Saoedi-Arabië, waar de echtgenoot de sleutel heeft tot de enige minuscule vrijheden waarop een vrouw kan hopen.

Het woord 'islam' betekent onderwerping. Ik moest er niet aan denken onderworpen te zijn. Ik heb te veel vrouwen gezien van wie hun kinderen, onafhankelijkheid en eigen gedachten waren afgenomen. Maar als mijn kinderen niet onderdanig zouden zijn, wat voor leven zouden ze dan hebben?

Het vrat aan me. Ik was vrij geweest om te kiezen, en ik had gekozen voor een leven dat beperkt was in vele kleine en sommige grote aspecten. Mijn keuze had er echter toe geleid dat mijn dochters niet vrij zouden zijn om te kiezen zoals ik had gekozen. In mijn nachtmerries zag ik mijn kleine meisjes opgroeien tot Saoedische vrouwen – gebogen onder het gewicht van hun onderdanigheid, gehuld in duisternis. Op de lange avonden dat ik buiten op mijn terras naar de schemering keek, zag ik niet eens meer de zwarte vogels over de lege woestijn vliegen. Nu cirkelden mijn zorgen in mijn hoofd.

14 Een Saoedisch paar

Naarmate Yeslam steeds meer een vreemde werd, voelde ik me ook steeds verder verwijderd van de familie Bin Ladin. Ik leefde voor de schoolvakanties. Ik telde de dagen tot we weer zouden vertrekken naar Europa of de Verenigde Staten, naar mijn eigen versie van vrijheid. Maar toen Fawzia, de jongere zuster van Yeslam, zich verloofde, was het niet te vermijden dat de ceremonie waarin ze werd weggegeven in ons huis in Djedda zou plaatsvinden. Net zozeer als Yeslam mijn wettelijke beschermheer was, was hij ook haar familiehoofd.

Van alle vrouwen in de familie Bin Ladin kende ik Fawzia het best. Ik was vaker in de gelegenheid geweest haar te observeren dan de rest; we hadden tenslotte een jaar onder één dak gewoond. Ze was Yeslams enige volle zuster, Om Yeslams enige dochter. Omdat ze een meisje was, was Fawzia nooit naar een kostschool in het buitenland gestuurd. Ze had altijd bij haar moeder gewoond en tot aan haar huwelijk zelfs altijd een slaapkamer met haar gedeeld.

Fawzia had een enorme dunk van haar eigen belangrijkheid. Ze was knap. Ze beschouwde zichzelf als de knapste van de Bin Ladin-zusters. Als volle zuster dichtte ze zichzelf een belangrijker plaats in het leven van haar broers toe dan hun echtgenotes.

Ik zou eigenlijk een goede band met Fawzia gehad moeten hebben, maar dat was voor mij niet mogelijk. Ik voelde dat ze jaloers was op de speciale relatie die ik had met haar broer. Zij realiseerde zich dat ik niet blind was voor de streken die ze gebruikte om concessies te krijgen van haar toekomstige echtgenoot, of zelfs van haar broers.

Ik was heel open in mijn relatie. Als ik iets van Yeslam verlangde, vroeg ik het hem gewoon rechtstreeks. Als mijn moeder geldproblemen had, vroeg ik Yeslam gewoon om haar te helpen, en dat deed hij dan ook. Ik was openhartig over de dingen die er volgens mij echt toe deden en Yeslam en ik konden daar altijd openlijk over discussiëren.

Fawzia had geleerd zulk open, direct gedrag te vermijden. Net als vele andere Saoedische vrouwen wist ze mannen op een subtielere, meer bedekte manier te beïnvloeden, om te krijgen wat ze wilde. Als de vrouwen naar het buitenland wilden, viel er altijd wel een goed excuus te bedenken. Bijvoorbeeld een doktersbezoek. Als ze geld wilden om iets te kopen, gebruikten ze een of andere huishoudelijke aanschaf als voorwendsel. Het geld gebruikten ze dan natuurlijk gewoon voor zichzelf.

Mijn schoonzusters legden altijd geld uit het huishoudelijk budget opzij voor hun persoonlijke schatkist. Ik moest een keer wat cadeautjes kopen voor vriendinnen in het buitenland, en Yeslam gaf me 200.000 riyal (ongeveer 50.000 euro) om naar de goudbazaar te gaan. Ik nam een van mijn schoonzusters mee. Toen we weer thuiskwamen liet ik Yeslam zien wat we hadden gekozen en zei: 'Ik heb nog 60.000 riyal over.' Ik legde het geld op een tafeltje. Mijn schoonzuster was verrast. Ze berispte me: 'Je man heeft je dat geld toch gegeven?

Houd het toch achter voor jezelf!'

Maar Yeslam en ik gingen niet op die manier met elkaar om. Er was bijna altijd wel geld in huis – 200.000 riyal, of soms wel het tienvoudige daarvan – dat ik naar wens mocht gebruiken. Waarom zou ik zoiets achterbaks doen?

Ik kan me niet herinneren dat ik een Saoedische vrouw heb gezien die openhartig was of die toegaf dat ze iets niet wist. Soms zat ik tegen mijn schoonzusters te praten en kreeg ik in de gaten dat ze absoluut geen idee hadden waar ik het over had. Ze zouden dat alleen nooit toegeven. (Soms hoorde ik hen later hetzelfde verhaal overigens wel doorvertellen aan iemand anders.) Saoedische vrouwen tonen nooit bewondering voor iets dat aan iemand anders toebehoort. Ze hebben altijd iets aan te merken op anderen, hoe ze eruitzien, hoe ze zich kleden, op hun huishouden. Maar ze imiteren hen voortdurend, ook al hebben ze kritiek.

Ik vroeg me dikwijls af of ik het over mijn hart zou kunnen verkrijgen mijn dochters dergelijk gedrag aan te leren. Ik wist dat ze in Saoedi-Arabië zouden opgroeien, en als vrouw zouden ze nooit zelf iets kunnen krijgen. Ze zouden altijd afhankelijk zijn van de toestemming van een man.

Fawzia en ik kwamen uit twee verschillende werelden. Met haar achtergrond en haar plaats in deze door mannen geregeerde maatschappij moest ze misschien wel geslepen en sluw zijn om te kunnen krijgen wat ze wilde. In Amerika had ik geleerd recht door zee te zijn. In Saoedi-Arabië was haar gedrag waarschijnlijk intelligenter en praktischer dan het mijne.

Er waren zoveel verschillen tussen ons. Ik ben een vrouw, en ik geef toe dat ik ook ijdel kan zijn. Ik houd ook van luxe – al het moois dat te koop is. In die dagen had ik vijf of zes bontjassen voor mijn reizen naar Europa, een kluis vol sieraden en een grote garderobe met prêt-à-porter-kleding. Ik lette nooit op de prijs. Als ik iets mooi vond, kocht ik het.

Voor veel Saoedische vrouwen was winkelen echter meer een soort neurose – een manier om de leegheid en de verveling in hun leven op te vullen. Ze kochten niet iets omdat ze het mooi vonden, maar omdat de andere vrouwen het ook hadden, en ze wilden vooral meer en betere dingen hebben dan alle anderen. Op een dag gaf Yeslam me een collier van smaragd. Fawzia haalde haar neus ervoor op, maar ze ging wel meteen de deur uit om er zelf ook een te kopen.

Maar toch, Fawzia ging trouwen, en ik was blij voor haar. Zij en Om Yeslam schenen buitengewoon enthousiast te zijn. We bevonden ons in Genève toen we hoorden dat alles in gereedheid werd gebracht voor haar verloving met Majid al Suleiman, afkomstig uit een van de voorname Saoedische families. Ze vertelde me dat ze een jurk nodig had. Ik ging er meteen op uit en kocht een prachtige jurk van Givenchy voor haar. Hij was wit met roze, met zijden linten, de bruidsjapon uit de nieuwste haute-couturecollectie, de mooiste jurk in Genève dat jaar.

Fawzia haalde haar neus op voor de jurk. Hij was te eenvoudig. Toen ze merkte dat haar schoonzusters er weg van waren, droeg ze hem toch. Ik kan me niet herinneren dat ze me ervoor bedankt heeft. Ze was zo vol van haar eigen superioriteit. Het kwam altijd op hetzelfde neer: zij was een Saoedische, ik niet.

Voor Fawzia's verlovingsfeest, de *melka*, trokken we alle registers open. We brachten duizenden lichtjes aan in de tuin en maakten alles in orde om honderden vrouwen te kunnen serveren. De dag voor de bruiloft dreigde Fawzia de trouwerij opeens af te zeggen. Ze wilde een huwelijkscontract waarin werd vastgelegd dat zij het initiatief kon nemen voor een echtscheiding.

Zoiets was ongehoord. Echtscheiding is in Saoedi-Arabië een eenvoudige zaak – als je een man bent. Hij hoeft alleen maar drie maal in het bijzijn van getuigen 'ik scheid me van je' te zeggen, en de scheiding is een feit. Een vrouw daarentegen moet allerlei gecompliceerde procedures voeren voor een religieuze rechtbank, en ze kan alleen hopen op echtscheiding op grond van overduidelijk onislamitisch gedrag. (Overspel en slaan tellen niet.)

Het verlovingsfeest werd twee dagen uitgesteld. De bloemisten namen de enorme bloemstukken terug. Alles werd in de ijskast gezet. Maar Fawzia kreeg haar contract. Ze kreeg wat ze wilde; ze was bijzonder uitgekookt.

Het feest ging dus door. De gasten kwamen aan en wierpen hun *abaya*s van zich af. Het leek wel een wedstrijd wie de dikste laag make-up, de meeste sieraden en de duurste haute-couturejurk droeg. Fawzia en de bruidegom, Majid, arriveerden afzonderlijk, onder luid geschreeuwde kreten van de aanwezige vrouwen. Ze zaten onder een zonnescherm en tekenden het register. Dit was het gedeelte dat ik bij mijn eigen bruiloft was misgelopen: het register dat ik in de auto had getekend, omdat het *melka*-feest van Regaih al had plaatsgevonden voordat ik in Saoedi-Arabië aankwam om te trouwen. Fawzia's bruiloft zou pas weken later plaatsvinden, in een hotel. Nu waren Fawzia en Majid echter officieel verloofd en konden ze elkaar voor het eerst ontmoeten.

Het verloofde paar had elkaar nog nooit ontmoet.

Yeslam en ik mochten Majid wel. Hij was tweeëntwintig, een

stuk jonger dan zijn vrouw, knap, met klassieke trekken en een prachtige glimlach. Hij was heel zachtaardig en veel verdraagzamer tegenover anderen dan Fawzia. Majid was geestig, hij had een geweldig gevoel voor humor. We praatten en lachten heel wat af. In de zomer, toen we naar Genève gingen, trokken we voortdurend met zijn vieren op. Op een dag zag hij me in een jas van zilvervos, met een natuurlijke grijze glans. Majid, die het heerlijk vond om ondeugend te doen, riep uit: 'Wat? Heb je het arme dier grijze haren gegeven?' Vervolgens keerde hij zich tot Yeslam, en zei: 'Pas maar op, kerel. Blijf een beetje bij je vrouw uit de buurt, want anders krijg jij ook grijze haren!'

Wafah en Najia waren dol op Majid. Hij was een heel lieve en geduldige man en het was maar goed dat Fawzia Majid had om haar onder de duim te houden. Ik herinner me dat Fawzia, Majid en ik een keer op het punt stonden hun huis te verlaten om ergens naartoe te gaan. Majid en ik stonden beneden te wachten. Hij kromp zichtbaar ineen toen hij Fawzia hoorde schreeuwen tegen het dienstmeisje, dat een gat in de vloerbedekking had gebrand toen ze op de grond aan het strijken was. Ik dacht bij mezelf: Waarom koop je niet gewoon een strijkplank voor die arme meid? Het dienstmeisje was doodsbang voor Fawzia, en ook voor de kinderen.

Fawzia had inmiddels twee kleine kinderen, Sarah en baby Faisal. Als zovele Saoedische kinderen uit rijke families, kwam Sarah in materieel opzicht niets tekort, maar kreeg ze nooit enige aandacht van betekenis van de kant van volwassenen. Ze had dozen vol speelgoed waarvan ze niet wist hoe ze ermee moest spelen, maar ze had ook vrijwel geen discipline. Ik weet nog hoe ik een keer zat toe te kijken terwijl Sarah het ene pak speelkaarten na het andere zat te verscheuren. Fawzia deed nooit pogingen haar enig respect bij te brengen voor mensen of dingen.

Saoedische ouders lijken dol op hun kinderen te zijn maar tegelijkertijd schenken ze geen aandacht aan hun diepere behoeften. Sarah leek zich nooit met iets opbouwends bezig te houden. Als ze lastig werd, liet Fawzia haar gewoon over aan het dienstmeisje – geen speciaal opgeleid kindermeisje, maar een gewoon dienstmeisje. De arme vrouw moest van 's morgens vroeg tot 's avonds laat voor Sarah en de baby Faisal zorgen en daarnaast ook nog eens al het huishoudelijke werk doen. Als een van de kinderen huilde, was het altijd de schuld van het dienstmeisje. En er was nooit een woord van dank voor haar werk. Dita, ons Filippijnse dienstmeisje, ging altijd even bij mijn kinderen op bed zitten om ze te helpen in slaap te vallen. Dit normale huiselijke ritueel werd een probleem als ze een keer bij Fawzia bleven slapen omdat het dienstmeisje van Fawzia niet eens gebruik mocht maken van het meubilair. Ze mocht zelfs niet op een stoel zitten als ze de kinderen te eten gaf.

Majid had een matigende invloed op zijn vrouw. Op een dag sloeg het noodlot echter toe. Majid had een passie voor auto's en kocht een Formule 1-racewagen. De wagen was felgroen en iedereen kende hem wel. Hij had gereden onder de kleuren van Saudi Airlines. Alle jongens in het land waren er trots op. De dag dat de wagen werd geleverd, wilde Majid er een stukje in rijden. Maar de acceleratie van de wagen was veel te krachtig, en toen hij de garage uit reed, schoot de wagen naar voren. Het hoofd van Majid werd naar achteren geworpen, tegen de rolstang, en hij raakte buiten bewustzijn.

Ze brachten Majid naar het academisch ziekenhuis, waar hij weer bijkwam. Een dokter hechtte de bloedende wond aan de achterkant van zijn hoofd. Hij leed echter ook aan hevige interne bloedingen en raakte snel weer buiten bewustzijn. Neurochirurgen werden overgevlogen vanuit Londen, maar het was te laat. De hersenen van Majid werkten niet meer. De rest van zijn lichaam stopte een maand later. Hij werd in een eenvoudige lijkwade gewikkeld en bij zonsondergang begraven in een anoniem graf in de woestijn, zoals gebruikelijk bij de Wahabieten. Er mochten geen vrouwen bij zijn.

Ik was er volledig kapot van en kon aan niets anders denken. Majid, zo goedaardig en geestig, was pas zevenentwintig. Hoe kon hij nou dood zijn? Ik maakte me gereed voor de driedaagse rouwperiode in het huis van Majids moeder, waarbij alle vrouwen uit de familie aanwezig zouden zijn om Om Majid en Fawzia bij te staan in hun rouw. (Yeslam ging met de mannen naar Majids vader.) Toen ik daar aankwam, trof ik een kamer vol luid jammerende vrouwen, allemaal gekleed in zwart of wit. Fawzia zat volledig opgemaakt op de sofa. Ze was pas drie maanden geleden bevallen van haar zoon, Faisal. Toen Om Yeslam vroeg of ze iets nodig had, vroeg Fawzia om een korset.

Ik was met stomheid geslagen. Wie maakt zich op zo'n moment nu druk om haar uiterlijk? Ik betuigde mijn medeleven met haar verlies. 'Het is de wil van God,' zei Fawzia tegen me. 'Misschien is het maar beter zo. Als hij was blijven leven, was hij misschien wel van me gescheiden en had mijn kinderen bij me weggenomen.'

Ik probeerde mijn aandacht maar weer op de kinderen te richten. Faisal huilde. Hij was al dagenlang niet meer gewassen en had verder ook weinig aandacht gekregen. Ik nam hem mee en deed hem in bad. Kleine Sarah nam ik mee naar een draaimolen om haar wat afleiding te geven. De hele driedaagse rouwperiode hield ik me zo stil mogelijk.

Een van de zusters van Majid was helemaal in de war. Ik vertelde Fawzia dat ik me zorgen over haar maakte. 'O, zij,' sprak Fawzia. 'Gedurende ons vijfjarig huwelijk hebben we haar zelden gezien. Ze zit alleen maar een beetje melodramatisch te doen.' Het was alsof Fawzia het niet kon hebben dat iemand anders voelde wat zij duidelijk niet kon voelen.

Een paar dagen later hoorden we dat een van de broers van Om Yeslam was gestorven in Iran. Fawzia was niet bij Om Yeslam weg te slaan. 'O mamma, arme mamma.' Ik kon het niet laten en vroeg haar: 'Fawzia, hoeveel jaren heeft Om Yeslam haar broer al niet meer gezien?' Ze gaf me een blik die ijs zou doen smelten, venijnig als een slang en ik denk dat ze me sinds die tijd hartgrondig haat.

Een paar dagen later, voordat we naar Genève vertrokken, besloot ik nog één keer mijn medeleven te betuigen aan Om Majid. Ze was zo'n zachtaardige vrouw, ik mocht haar heel graag. Fawzia vroeg mijn chauffeur een briefje voor haar mee te nemen. Nadat het briefje aan Om Majid was gegeven, zag ik dat ze haar huisknecht wenkte. 'Geef de chauffeur het geld,' zei ze, terwijl ik zag dat de tranen nog steeds in haar ogen stonden. Het duurde even voor het tot me doordrong dat Fawzia haar schoonmoeder de rekening van meer dan 2000 riyal had gegeven voor het salaris van Fawzia's kok. Ik kon wel door de grond zakken.

15 Zusters in islam

Fawzia toonde nooit een greintje medeleven, maar ze bad vijf keer per dag. Alle Bin Ladin-vrouwen deden dat. Een van de meest orthodoxe was Sheikha. Sheikha was een soort vrouwelijke tegenhanger van Osama, maar dan veel volgzamer, natuurlijk. De jongere Bin Ladin-vrouwen hadden allemaal bewondering voor haar. Zelfs de schoonmoeders bewonderden Sheikha vanwege haar toewijding aan de islam, vooral toen ze voor Osama ging werken en hulpgoederen ging inzamelen voor de Afghanen en zelfs naar Afghanistan reisde om ze te bezorgen.

Ik ging vaak bij Sheikha op bezoek, evenals bij veel van mijn andere schoonzusters. Ik moest de cultuur waarin mijn kinderen leefden en de achtergrond van mijn echtgenoot leren begrijpen. Sheikha en haar man hadden een huis gebouwd in de buurt van het onze. Toch waren we nooit intiem in de westerse zin van het woord. Saoedische vrouwen zijn tegenover elkaar niet zo open over hun leven als Amerikaanse en Europese vrouwen, en al helemaal niet tegenover een buitenlandse.

Onder de vrouwen bestond een groter besef van wie volle zusters en halfzusters waren dan onder de mannen. De drie zusters van Ahmad bijvoorbeeld, hadden allemaal dezelfde moeder en leken ook echt een intieme band te hebben. Ze deden alles samen. Soms leken de Bin Ladin-zusters oprecht vriendelijk, zelfs al waren ze halfzusters. Sheikha en Rafah bijvoorbeeld, hadden niet dezelfde moeder maar deelden elkaars religieuze overtuiging. Ik was echter niet met ze opgegroeid; ik was niet eens een halfzuster. Ik was maar een schoonzuster. En nog een westerling bovendien. Ik kan dus niet zeggen dat ik ooit een intieme band met hen had.

Toch ging ik bij hen op visite. Dan had ik iets te doen. Sheikha vroeg me naar nieuwtjes over Yeslam. Ik informeerde beleefd naar de gezondheid van haar gezin. Zelfs zo'n eenvoudig gesprek verliep volgens vaste formules, en was voor mij dus een mijnenveld van mogelijke gruwelijke fouten. Sheikha mocht in het gesprek de naam van mijn echtgenoot noemen. Ze was zijn zuster. Ik mocht echter nooit de naam van Sheikha's echtgenoot uitspreken, ook al was ze mijn schoonzuster. Zijn naam uitspreken of informeren naar zijn gezondheid veronderstelde een vorm van intimiteit. Dat was verboden gebied.

Ik woonde al zo lang in Saoedi-Arabië dat deze stijve, beleefde, rituele segregatie me niet meer opviel. Als ik er nu op terugkijk, zie ik hoe raar en vervreemdend het was.

Ondanks alles mocht ik Sheikha wel. Ze had energie en vitaliteit, hoewel ze het allemaal in het beoefenen van haar religie stopte. De oudste dochter van sjeik Mohamed, Aisha, had ook een behoorlijk energieke en imponerende uitstraling. Aisha had een zeer intieme band met Om Yeslam. Ze hadden elkaars kinderen borstvoeding gegeven. Alle Bin Ladin-vrouwen schenen Aisha een speciale plaats te hebben verleend, zoals ook passend was voor de oudste dochter van de grote sjeik. (Aisha was ouder dan veel van zijn vrouwen.)

Aisha was kort van stuk maar een zeer waardige verschijning

en ook relatief openhartig. Als ik bij haar op bezoek ging, klaagde ze vaak dat Yeslam niet vaker langskwam. Dat was gedurfd. De andere zusters zouden nooit klagen over een broer.

De bedekte kritiek ging echter nooit te ver. Ik kwam eens op een familiebijeenkomst met Yeslam en zag Aisha in de kamer. 'Kijk, nu hoef je niet meer tegen mij te zeggen dat Yeslam nooit meer langskomt,' zei ik tegen haar. 'Hier is hij! Nu kun je het tegen hem zelf zeggen!' De hele groep was verbijsterd. Ik had Aisha aangespoord mijn echtgenoot, haar broer, onder handen te nemen, in het openbaar! De stilte die volgde op mijn opmerking leek wel een eeuwigheid te duren.

De enige afwijking van het strenge fatsoensprotocol dat de onderlinge verhoudingen onder de Bin Ladin-vrouwen dicteerde, was een lichte maar waarneembare jaloezie jegens een van de zusters, Randa. Randa was enig kind, ze had geen volle broers. Normaal gesproken zou ze daarom een betrekkelijk lage status hebben. Maar Randa was ook de lieveling van Salem, en Salem was de oudste broer.

Salem was hoofd van de Bin Ladin-clan. En Salem zei nooit nee tegen Randa, zo beweerden de vrouwen tenminste. Het was bijna schandalig, mopperden ze, zoals Salem haar overal mee naartoe nam, zelfs naar het buitenland, soms zelfs zonder dat zijn vrouw erbij was. Het ging zelfs zo ver, zeiden de vrouwen, dat als Salem met Randa naar het buitenland reisde en zijn vrouw meenam, Randa in de auto naast hem zat en zijn vrouw werd verbannen naar de achterbank.

Ik heb altijd een hekel gehad aan roddelen, en dit soort geroddel leek al helemaal nergens over te gaan.

Je zou denken dat in een vrouwenwereld sprake zou zijn van kameraadschap, spontaniteit en een warme, begrijpende verstandhouding, maar onder de Bin Ladin-vrouwen was elk gebaar uiterst correct, geheel volgens de rituelen en vrijwel statisch. Mijn vriendin Haifa, de Syrische vrouw van Bakr, had van nature meer begrip van de codes dan ik, en zij moest me helpen deze aan te leren.

Ik was een goede sociale kameleon. Uiteindelijk wist ik de juiste gespreksrituelen uit te voeren tijdens de eindeloze middagbijeenkomsten die ik mezelf verplichtte bij te wonen.

Maar het frustreerde me allemaal. Niets leek enige diepte te hebben. Het was zo'n grote familie, met zoveel verkeer over en weer, maar het onderlinge contact was altijd oppervlakkig.

Op een middag nodigde Sheikha me uit om een van haar religieuze studiebijeenkomsten bij te wonen. De geselecteerde zusters marcheerden de woonkamer binnen en luisterden stilletjes terwijl de vrouwelijke geleerde maar doorzeurde, voorlas uit de koran en de woorden interpreteerde. Sommigen van deze vrouwen waren al aardig fanatiek, viel me op. Aan de dikke zwarte handschoenen die ze droegen ondanks de hitte in Djedda, kon je zien wie de meest fanatieke waren. Een aantal droeg ook een hoofddoekje, zelfs in huis, ondanks het feit dat er alleen vrouwen waren.

De kracht van hun religieuze overtuiging gaf een aantal van deze vrouwen een leidersrol: Aisha, Sheikha en Rafah. Ik denk dat Rafah oprecht bezorgd was over mijn onsterfelijke ziel, terwijl ik wilde dat ze zichzelf enigszins openstelde voor de wereld in ruimere zin. Rafah en ik discussieerden vaak over de merites van de Saoedisch-islamitische restricties. Ze predikte altijd correct islamitisch gedrag. De jongere vrouwen, zoals Osama's deerniswekkende, teruggetrokken jonge vrouw Najwah, stemden altijd in zonder iets te zeggen.

Sommigen van deze vrouwen mocht ik echt graag. Ik hield van Om Yeslam, die beminnelijk en zachtaardig was. Ik genoot van de energie van Sheikha. Rafahs moeder was, net als die van Sheikha, lief en innemend. Taiba, die haar kinderen was kwijtgeraakt toen haar man zich van haar scheidde, was zacht-moedig en warm. Ik denk dat ze mij ook wel mochten.

Toch, tijdens die religieuze studiebijeenkomst in Sheikha's huis, realiseerde ik me hoezeer Haifa en ik in de minderheid waren. Ik keek naar de vrouwen om me heen en luisterde naar wat ze te zeggen hadden alsof ik naar een film zat te kijken. Ik voelde me geheel een buitenstaander. Vooral Najwah gaf me een ongemakkelijk gevoel, misschien omdat ze pas tweeën-twintig was en toch al buitengewoon volgzaam. Ze was voort-durend zwanger. Toen ik Saoedi-Arabië voorgoed verliet, had-den zij en Osama al zeven zonen. Met haar vale kleren en neergeslagen ogen leek Najwah vrijwel geheel onzichtbaar.

Waar kon ik het met deze vrouwen over hebben? Wat kon je zeggen tegen iemand met wie je niets gemeen had? Aller-lei gedachten schoten door mijn hoofd: Wat heeft dit meisje nu eigenlijk in haar leven? Ze is vroom... ze mag niet naar mu-ziek luisteren... ze baart kinderen en van haar man mag ze niet naar buiten. Ze lacht dan wel naar me, maar wat speelt zich af in haar hoofd? Najwah dacht waarschijnlijk: Arm mens, straks ga je naar de hel. En ik dacht: Arm mens, jouw leven hier is een hel. Hier zaten twee vrouwen, in dezelfde ruimte, op volstrekt tegengestelde wegen. Najwah beangstigde me. Ik beschouw vrouwen als de hoeders van morele voor-uitgang, aan wie de toekomst is toevertrouwd. Als zij uit angst voor veranderingen vasthouden aan het verleden, kan een gemeenschap zich niet ontwikkelen.

Volgens mij heeft de islam een veel grotere invloed op het dagelijkse leven van de gelovige dan welk ander geloof ook. Het is niet alleen een godsdienst, het is een uiterst gedetailleerde levenswijze. Voor een strikt orthodoxe moslim – de Saoedi's zijn de strengste moslims die er zijn – is scheiding tussen staat en religie ondenkbaar. De islam draait om de islamitische wet. De gedragscode en de wet zijn net zo fundamenteel voor de godsdienstige praktijk als de koran. De sjaria, het geheel van de islamitische wetten, is de grondwet van Saoedi-Arabië. Het is eenvoudigweg niet mogelijk dat de regering, of de Saoedische maatschappij, ooit afstand zal nemen van de strenge regels van de wahabitische islam.

Sjeik Mohamed bin Abdul Wahab blies de Saoedische islam rond 1700 nieuw leven in met zijn extreem puriteinse beweging voor een nieuw godsdienstig leven. Hij was ervan overtuigd dat de islam die hij om zich heen zag, gezuiverd moest worden en teruggeleid naar de zevende-eeuwse oorsprong. In andere, minder geïsoleerde islamitische landen zoals Egypte, werd islam gezien als een verzameling beginselen die door de eeuwen heen evolueerde. Sjeik Wahab hield echter vol dat interpretatie van de wet van de profeet niet was toegestaan. De islam moest in zijn geheel worden aanvaard en mocht niet gemoderniseerd of aangepast worden.

Als gevolg hiervan zijn de Saoedi's de hoeders van de absolute orthodoxie binnen de islamitische wereld geworden – de strengsten van de strengsten. Het enige verschil tussen de Saoedische islam en de ultrastrenge Afghaanse Taliban is de enorme weelde en de persoonlijke genotzucht van de al-Sauds. De Saoedi's zijn als de Taliban, maar dan badend in luxe.

Leven in een moderne wereldeconomie had tot gevolg dat

de Saoedi's toch in enkele opzichten moesten veranderen en binnen hun maatschappij aanpassingen moesten aanbrengen, al waren ze nog zo klein. Maar zelfs voor eenvoudige vernieuwingen zoals auto's, fotografie en televisie, zijn uitspraken van de islamitische geleerden nodig om te bepalen of ze nu wel of niet zijn binnen de islam toegestaan. Deels om de mensen tegemoet te komen die zich opwinden over zulke moderniseringen, maar deels ook uit pure overtuiging, bieden de Saoedi's financiële ondersteuning aan bewegingen die de strikte wahabitische vorm van islam exporteren naar de buitenwereld. De ondersteuning van zulke bewegingen werd met name belangrijk gevonden na de inval in Afghanistan.

Toen ik nog in Saoedi-Arabië woonde, zei men altijd dat zes procent van de olieopbrengsten werd besteed aan het wereldwijd propageren van de islam. Naast deze officiële uitgaven, zagen grote families het als hun persoonlijke plicht bewegingen die de islam verkondigden te ondersteunen. Zo werden moskeeën gebouwd in Europa, Azië en de Verenigde Staten met gelden uit Saoedi-Arabië. De predikers spreidden de strenge boodschap van sjeik Wahab onder moslimculturen die een grotere verdraagzaamheid en tolerantie hadden ontwikkeld.

Godsdienstgeleerden worden naar Riyad en Djedda gehaald om daar te worden opgeleid, en worden vervolgens naar hun eigen land teruggestuurd om het woord te verkondigen. De Saoedi's oefenen druk uit op de mensen die financieel door hen worden ondersteund om strenge regels aan te houden: een verbod op alcohol, vasten tijdens de ramadan, en minimale mogelijkheden voor vrouwen tot scholing en werk. De islam van Saoedi-Arabië is een enorme, rijke macht die de wereld wil veranderen en die ver voorbij de grenzen reikt van dat in andere opzichten zo gesloten land.

Saoedi-Arabië is de bakermat van de islam, het vaderland van de profeet Mohamed, en de Saoedische islam is opgebouwd rond de behoefte de leerstellingen van de profeet en de heilige plaatsen Mekka en Medina, waar hij leefde, te beschermen. De aanwezigheid van afvalligen kan niet worden geduld. In de loop der jaren ben ik gaan inzien hoe ongelooflijk afwerend de Saoedische gemeenschap is ten opzichte van andere godsdiensten. Zelfs de nationale vlag verkondigt fier 'Er is geen god naast Allah'. In het land mag geen andere godsdienst worden beoefend dan de islam. Bijbels mogen het land niet worden ingevoerd. Gebedsbijeenkomsten zijn niet toegestaan. Veel gastarbeiders, zoals mijn Filippijnse dienstmeisje Dita, lijden zeer onder deze regel.

Ook op andere manieren heerst Saoedi-Arabië op een bijna paranoïde wijze over de miljoenen buitenlanders die het land nodig heeft om het mechanisme van het moderne leven te ontwerpen en te onderhouden. Voor elke buitenlander die het koninkrijk binnenkomt moet een Saoedi de verantwoordelijkheid op zich nemen. Deze houdt het paspoort van de buitenlander in 'bewaring' en beheerst in hoge mate het gaan en staan van de betrokkene. Een buitenlander kan het land niet verlaten zonder toestemming van de voor hem verantwoordelijke. Voor een uitreisvisum is de handtekening van de verantwoordelijke nodig. Buitenlanders mogen geen bezittingen hebben in het land, en om zaken te mogen doen moeten ze een Saoedische partner hebben.

Vrouwen die met een Saoedi trouwen, voelen zich vaak in een val zitten, omdat de echtgenoot, of ex-echtgenoot, haar of de kinderen geen toestemming geeft het land te verlaten. Zonder zijn handtekening wordt geen uitreisvisum gegeven. En zonder uitreisvisum is er gewoon geen weg naar buiten.

Wonen in Saoedi-Arabië gaf me altijd een enigszins clandestien gevoel, alsof ik onder valse voorwendselen het land was binnengeglipt en mijn ware aard voor altijd zou moeten verbergen. Als ik naar andere vrouwen keek, zoals Najwah, Rafah en Sheikha, maakte ik me zorgen over mijn dochters. Die vrouwen kwamen niet in opstand tegen de beperkingen waaronder ze leefden. Ze omarmden deze. Zelfs na vele jaren in het land te hebben doorgebracht, kon ik die vreselijke, slaafse houding nauwelijks begrijpen.

Op dat moment dacht ik nog dat de bestemming van mijn kinderen in Saoedi-Arabië lag. Ik hield van mijn echtgenoot. We woonden in zijn land. Mijn dochters waren Saoedisch. Ik wist dat ik hun de gedragscodes moest bijbrengen die het leven als volwassene voor hen gemakkelijker moesten maken. Ze moesten leren, en liefst zo vroeg mogelijk, te denken en doen als Saoedische vrouwen. Hun welzijn en gemoedsrust zouden hiervan afhankelijk zijn, evenals de talloze kleine vrijheden waarvoor mannelijke toestemming vereist was.

Toch lukte het me nooit om mijn dochters het manipulerende, heimelijke gedrag aan te leren dat zo karakteristiek was voor de vrouwen om me heen. Misschien had ik me, voor hun bestwil, wat meer inspanningen moeten getroosten, maar ik voelde me machteloos in mijn pogingen ze voor te bereiden op een leven als Saoedische vrouw. Ik wilde er eigenlijk niet eens aan denken.

Toen ik eindelijk de tijd nam eens goed na te denken over de toekomst van Wafah en Najia, besefte ik dat ik mijn kinderen opvoedde tot rebellen in de Saoedische gemeenschap. Ik wist dat ze daarvoor mogelijk zouden moeten boeten. Diep in mijn hart was ik ook gewoon bang dat mijn meisjes zouden worden als Najwah en de anderen – dat ze de weg van de strikte godsdienstbeoefening zouden kiezen en mij zouden verlaten. Ik wilde niet dat mijn kinderen woordeloze vreemden met zwarte handschoenen zouden worden. Ik wilde niet dat mijn lieve, vrolijke kleine meisjes zo zouden opgroeien.

Ik denk dat Najwah zelf een onderwerpende natuur had, en haar opvoeding had haar fatalistisch gemaakt. Ze stond zichzelf nooit toe meer van haar leven te verlangen dan gehoorzaamheid aan haar man en haar vader. Ik zou gek worden. Ik zou denken: God gaf je armen en benen en een hoofd om mee te denken, dus doe er wat mee. Ik begon erg gefrustreerd te raken, als vrouw, door omringd te zijn door vrouwen die gewoon de moed niet hadden zich tegen het systeem te verzetten.

Sheikha en Rafah hadden wel moed, maar ze staken het allemaal in hun godsdienst. Ik denk dat dat voor hen eenvoudiger was dan opkomen voor hun mensenrechten. Hun vroomheid gaf ze het gevoel dat ze een zekere macht hadden. Ik denk dat ze geloofden dat de mannen, net als de andere vrouwen, wel respect voor hen zouden hebben als ze heel streng godsdienstig zouden zijn. Het leek ook zo te werken. Godsdienstige vrouwen genoten veel meer respect dan verwesterde vrouwen, zoals Hassans wispelturige Libanese vrouw Leila.

Voor vrouwen als Sheikha en Rafah was fanatieke vroomheid volgens mij wel een kwestie van persoonlijke overtuiging. Ik denk dat het voor een deel ook een noodzakelijke tactiek was. Als je in je leven volledig afhankelijk bent, moet je leren je meester te beïnvloeden. Dat is misschien de enige manier waarop je kunt overleven.

Een andere weg waarlangs een Saoedische vrouw misschien invloed kan uitoefenen op haar man, is via de kinderen, met name de jongens. Vrouwen waren altijd meer toegeeflijk ten opzichte van hun zonen, en ik merkte dat ze zelfs nog attenter waren als hun man erbij was. Als je een goede moeder was, zou je man zich nooit van je scheiden, dat was de gedachte. En ooit zou je zoon je wettelijke beschermheer worden in plaats van je echtgenoot. Een echtgenoot zou kunnen afdwalen, sterven of van je scheiden, maar een toegewijde zoon staat altijd klaar voor zijn moeder.

Ik had geen zonen. En de andere Bin Ladin-vrouwen, zelfs Om Yeslam, schenen zich nauwelijks druk te maken over de opvoeding van mijn dochters. Ik vervulde plichtmatig mijn rol als schoondochter en kabbelde rustig verder. Er was geen ander onderwerp voor een neutraal gesprek tijdens die langdurige en langdradige theesessies. Ik vertelde dat Wafah en Najia hadden leren bidden, dat ik ze had meegenomen naar Mekka, dat ze Arabisch hadden geleerd en dat ze de een of andere passage uit de koran uit hun hoofd konden opzeggen. Maar Om Yeslam informeerde zelf nooit naar zulke dingen. Ik merkte dat ze veel meer geïnteresseerd was in Sarah, de kleine meid van Fawzia.

Ik probeerde haar van mijn kinderen te laten houden, maar ik denk niet dat ik daar ooit in ben geslaagd. Misschien kwam dit uiteindelijk doordat ik een buitenlandse was. Veel later, toen Yeslam en ik waren verhuisd naar een groter huis in Djedda, speelde Wafah een keer met een half-Engels schoolvriendinnetje. Ze renden gillend rond het huis, kletsnat van het zwemmen.

'Ach, die buitenlandse meid,' snauwde Om Yeslam geïrriteerd.

Ik antwoordde nogal kortaf: 'We zijn allemaal wel buitenlanders voor iemand.'

'Ik niet,' antwoordde Om Yeslam, me strak aankijkend. 'Ik heb geen druppel christelijk bloed in me.'

Ik had wel een druppel christelijk bloed in me, van mijn vader. En de meisjes dus ook. En wat Om Yeslam echt bedoelde, was dat ik de vastberaden, eigenzinnige persoonlijkheid had die je kreeg als je als individu in het Westen woonde. Ze had het gevoel dat ik me er nooit toe zou kunnen brengen me werkelijk op de juiste manier te onderwerpen aan de islam, de regels van de Saoedische gemeenschap, en mijn echtgenoot.

En ze had gelijk.

16 Prinsen en prinsessen

Ik heb mijn lieve vriendin Latifa in Genève ontmoet, tijdens een lunch met Fawzia en Majid. In Saoedi-Arabië is persoonlijke omgang gecompliceerd: kan een vrouw aan tafel zitten met een man die ze nog niet eerder heeft ontmoet? Als ze in het buitenland zijn, nemen Saudi's het echter minder nauw met hun complexe web van beperkingen en dus kunnen in Europa mannen en vrouwen elkaar wat vrijelijker ontmoeten. Yeslam en de man van Latifa, Turki, konden het goed met elkaar vinden. We raakten bevriend met zijn vieren en Latifa en ik werden goede vriendinnen.

Latifa was een al-Saud: een prinses. Ik had wel eerder prinsessen ontmoet, maar daar was ik nooit zo van onder de indruk geraakt. Degenen die ik had ontmoet waren alledaags en hadden een onuitstaanbaar gevoel van superioriteit. Maar Latifa was anders. Ze toonde interesse in anderen. Ze bezat niet de arrogantie van sommige andere leden van de Saoedische koninklijke familie.

Latifa was lang en had een slungelig voorkomen. Ze was een van de mooiste vrouwen die ik ooit had ontmoet. Ze was heel anders dan ik, erg stil. Ik grapte wel eens: 'Latifa, de muren hebben er genoeg van alleen naar mijn stem te luisteren.' Ze was zo gereserveerd dat we nooit spraken over de koninklijke familie – haar familie – of politieke aangelegenheden.

Maar Latifa was graag in gezelschap van een buitenstaander, iemand die geen deel uitmaakte van de wisselende kliek hovelingen en het gekonkel binnen de koninklijke familie. En ik mocht haar wel, want ik zag in haar een echte Arabische prinses. Niet alleen door haar opvallende schoonheid, maar ook omdat Latifa een diepgewortelde edelmoedigheid bezat.

Latifa's echtgenoot, Turki, behoorde eveneens tot de koninklijke familie al-Saud, maar hij was nogal verlegen en formeel. Aanvankelijk, zelfs nadat hij bevriend was geraakt met Yeslam, vond hij het niet prettig alleen met mij in een kamer te zijn. Toen Turki voor het eerst naar ons huis kwam en hoorde dat Yeslam nog niet was thuisgekomen, moest ik hem bijna dwingen binnen te wachten. Turki zat kaarsrecht op de bank in de woonkamer en durfde me niet aan te kijken. Om mij zonder sluier te zien in Genève was één ding, maar alleen zijn met mij in een kamer in Djedda was iets geheel anders.

Turki was graag in het Westen. Hij vond het heerlijk dat daar minder beperkingen golden en dat je daar jezelf kon zijn en op een natuurlijke wijze kon omgaan met zowel vrouwen als mannen. In Saoedi-Arabië kon hij zich echter niet losmaken van de gebruiken. Nu ik zo lang in Saoedi-Arabië had doorgebracht, kon ik zien dat het ook voor Turki moeilijk was te leven met de tegenstellingen tussen de twee werelden.

Prins Turki was een van de weinige Saoedische mannen die ik werkelijk mocht. Later, toen ik voorgoed uit Saoedi-Arabië vertrok, gaf hij me zijn steun. Ik zal hem daar altijd dankbaar voor zijn. Latifa is me ook altijd trouw gebleven. Zij is de enige Saoedische vrouw die tot de dag van vandaag achter me is blijven staan.

Latifa en Turki woonden op de compound van Turki's vader, in een van de huizen die hij voor zijn kinderen had laten bouwen. Het waren geen paleizen. Latifa en Turki behoorden allebei tot de koninklijke familie, maar niet tot een voorname tak van de familie al-Saud in de lijn voor troonopvolging. Yeslam had waarschijnlijk meer geld dan zij.

Latifa's vader, prins Mansur, was een gerespecteerd ouder familielid van koning Khaled. Als hij op reis ging, vroeg prins Masur altijd het privé-vliegtuig van de koning te mogen gebruiken – een van de vliegtuigen met een volledig uitgeruste operatiekamer en talloze dienaren aan boord. Het was niet gemakkelijk nee te zeggen tegen prins Mansur.

Prins Mansur was een strenge man, en hij eiste altijd volledige gehoorzaamheid van zijn dochter. Toen Latifa acht jaar oud was, scheidde haar vader van haar moeder en werd haar moeder de omgang met haar ontzegd. Latifa zag haar pas weer nadat ze getrouwd was met Turki, die toestond dat zijn kersverse, jonge vrouw contact opnam met haar moeder.

Zelfs als volwassene gehoorzaamde Latifa onvoorwaardelijk de instructies van haar vader. Een keer vond haar vader dat Latifa te lang in Europa was. Hij was zelf op dat moment een van zijn bezittingen in Marokko aan het bezoeken – het ging er dus niet om dat hij haar wilde zien – maar prins Mansur eiste dat Latifa onmiddellijk terugging naar Djedda. Ook al was haar man bij haar in Europa, toch ging Latifa terug naar Djedda op bevel van haar vader. Ze was zachtmoedig en had een scherpe blik, maar gehoorzaamheid was diepgeworteld in elke cel van haar lichaam.

Latifa was een geweldig mens, maar ze was ook een goede Saoedische vrouw. En dit was het soort respect dat een goede Saoedische verschuldigd was aan de patriarch van de familie.

Niemand weerspreekt de patriarch. Zelfs een volwassen zoon met een eigen gezin zou nooit ongehoorzaam durven zijn, laat staan een dochter.

Als ze in Europa zou hebben gewoond, had Latifa met haar intelligentie veel kunnen bereiken en sterk en vrij kunnen zijn, maar doordat ze was grootgebracht in Saoedi-Arabië, was haar karakter verzwakt en gesmoord in onderwerping. Ze was erg fatalistisch. Als iets misging, zei ze altijd: 'Waarom zouden we ons er druk over maken. Gedane zaken nemen geen keer.' Opstandigheid kende Latifa niet. Ze had geleerd om geen vragen meer te stellen. Ik denk dat haar levenskracht was gebroken.

Latifa had prinses Mish'al gekend, het jonge meisje dat door haar grootvader was gedood omdat ze verliefd was geworden op de verkeerde man. Het was een van de kwesties waarover ze niet wilde nadenken.

Net als alle andere duizenden, of misschien zelfs tienduizenden Saoedische prinsen en prinsessen, leefden Latifa en Turki vrijwel geheel op de toelage die ze elk jaar uit de schatkist ontvingen. Zelfs kleine kinderen ontvangen zo'n toelage. De toelage wordt berekend op basis van leeftijd, machtspositie en geslacht. Meisjes ontvangen de helft van wat jongens krijgen. Daarnaast zijn alle openbare voorzieningen gratis voor prinsen, en velen (maar niet Latifa en Turki) verkopen hun invloed binnen de verschillende lagen van het Saoedische regeringsapparaat voor hoge commissiepercentages die worden afgeroomd van alle belangrijke zakelijke contracten.

Dat is het Saoedische systeem: een opeenhoping van meer en meer mensen in een koninklijke familie die de olierijkdommen van het land beschouwen als hun persoonlijke eigendom. Abdel Aziz ibn Saud, de eerste koning, die Saoedi-Arabië uit een stuk woestijn had opgebouwd, had minstens zeventien vrouwen. Toen hij stierf in 1953, liet hij vierenveertig zonen achter. (Ik denk niet dat iemand weet hoeveel dochters hij had. Zelfs het aantal vrouwen dat hij had is onderwerp van speculaties.) Voor hij stierf, regelde Abdel Aziz zijn opvolging. Saud, de oudste zoon, zou hem als koning opvolgen en hij zou worden bijgestaan door de tweede zoon, Faisal. Zoals in alle voorname Saoedische families, nam de oudste broer de leiding over de familie.

Maar koning Saud was een ramp. Terwijl Abdel Aziz sober en geslepen was, was Saud spilziek, genotzuchtig en bekrompen. In 1958 leidde onvrede met het beleid van Saud tot ingrijpen van een groep belangrijke prinsen en religieuze leiders. Faisal, de kroonprins, regeerde het land twee jaar lang in naam van Saud. Hij probeerde de enorme uitgaven van de koninklijke familie aan banden te leggen. In 1960 nam Saud de touwtjes weer in handen. Na nog enkele jaren onder leiding van Saud, balanceerde het land op de rand van een financiële catastrofe. In 1964 verordenden de religieuze leiders dat Saud niet in staat was het land te regeren. Faisal werd tot koning gekroond. Saud ging in ballingschap en woonde in Europa tot zijn dood in 1969.

Koning Faisal was een gematigde, waardige man, en de algemene opinie is dat zijn bewind het land heel veel goed heeft gedaan. In maart 1975 echter, terwijl ik in Californië in bed lag, in verwachting van mijn eerste kind, werd koning Faisal doodgeschoten door een van zijn neven – een radicale moslim.

Abdel Aziz had het patroon voor de troonopvolging bepaald. De macht ging van zijn oudste zoon naar zijn tweede zoon. Het zou dus logisch zijn geweest dat de derde zoon van Abdel Aziz nu de troon ging bestijgen. Dat zou prins Mohamed zijn geweest, een gewelddadige en uiterst conservatieve man die later berucht werd vanwege het bevel zijn kleindochter, prinses Mish'al, te doden.

Men zegt dat de koninklijke familie bang was dat er een strijd of opstand zou uitbreken als Mohamed de troon zou overnemen. Wat de reden ook is geweest, prins Mohamed werd ertoe bewogen af te zien van troonopvolging. Na de dood van Faisal werd Khaled, de vierde zoon van Abdel Aziz, de nieuwe koning.

Koning Khaled was een milde en vaderlijke figuur. Toen hij in 1982 stierf aan een hartaanval, werd hij opgevolgd door zijn broer, kroonprins Fahd. Fahd was niet de volgende in de lijn van troonopvolging, maar kennelijk had de koninklijke familie besloten dat hij de geschiktste kandidaat was.

Hoewel hij sterk verzwakt is door diverse gezondheidsproblemen, zit koning Fahd nog steeds op de troon. Fahd wordt waarschijnlijk opgevolgd door zijn broer Abdallah, die nu over de zeventig is. Maar niets is zeker. De troonopvolging is geen wetmatigheid, maar het resultaat van beraadslagingen en intriges tijdens geheime bijeenkomsten van de koninklijke familie en de religieuze leiders. Er wordt beweerd dat koning Fahd (of zijn clan) zich verzet tegen Abdallah, die uiterst conservatief is en kritiek heeft geuit op de losbandigheid en hoge levensstandaard van zijn familie. De verborgen machtsstrijd zou hevig zijn. De troonopvolging is een merkwaardig gebeuren zonder systematiek, en de onzekerheid leidt onder de enorme schare hovelingen tot allerlei geruchten over een machtsstrijd.

Uiteraard is de Bin Ladin-clan tegenwoordig prominent

vertegenwoordigd te midden van deze hovelingen. Salem is omgekomen bij een vliegtuigongeluk in Texas en zijn bewind over de familie is overgegaan naar zijn broer, Bakr. Bakr heeft een goede relatie met de favoriete zoon van koning Fahd, Abdel Aziz. Binnen het hof is hij een bevoorrechte onder de bevoorrechten. Yeslam heeft zich altijd geërgerd aan de hoge status en pompeuze, verwaande houding van Bakr.

Op een zeker moment, in 1994 of 1995, vertrouwde Yeslam me toe dat de gezondheidstoestand van koning Fahd achteruitging. Hij zei dat prins Abdallah zijn plaats waarschijnlijk zou innemen. Hij voegde eraan toe dat prins Abdallah de beschermheer was van Osama, die Saoedi-Arabië had moeten verlaten nadat hij openlijk het losbandige leven van de Saoedische prinsen had veroordeeld.

Osama was in ballingschap gegaan in Soedan, vertelde Yeslam. Hij had een groep gewapende volgelingen en tanks die zijn ommuurde landgoed bewaakten. Binnenkort, suggereerde Yeslam, wanneer Abdallah de troon zou overnemen, zou Osama's ster gaan rijzen binnen de Bin Ladin-clan. Dan zou Bakr wel moeten inbinden.

Dat was voordat Osama begon met zijn reeks terroristische aanslagen op Saoedi-Arabië en het Westen. Ik weet niet hoe de relatie tussen kroonprins Abdallah en Osama bin Ladin op dit moment is, maar dit is wat Yeslam me vertelde.

Tot op dit moment is de koning van Saoedi-Arabië telkens een van de steeds ouder wordende zonen geweest van Abdel Aziz, de stichter van het land. De troon is nog altijd niet overgegaan naar een van zijn kleinzonen. Misschien is dat een van de redenen waarom Saoedi-Arabië niet verandert. De familie wordt steeds groter. Latifa vertelde me dat elke maand wel ten minste één kind in de familie al-Saud wordt geboren – achterkleinkinderen en achterachterkleinkinderen. Toen ik nog in Saoedi-Arabië woonde, telde de koninklijke familie ruim vierduizend prinsen. Sommigen zeggen dat er nu meer dan vijfentwintigduizend al-Sauds zijn.

Toen Abdel Aziz ibn Saud zichzelf in 1932 tot koning benoemde, was Saoedi-Arabië verschrikkelijk arm. Zijn eerste paleis was vervaardigd uit dezelfde lemen bouwstenen die op het platteland werden gebruikt. In die dagen spraken sjeiks en bedoeïenenherders elkaar met de voornaam aan. Toen, in de jaren dertig, werd er olie ontdekt.

Aangezien dit het land van Abdel Aziz was – het was tenslotte naar hem genoemd – vond men het kennelijk gewoon dat de olierijkdommen hoofdzakelijk naar zijn kinderen zouden gaan. Toen ik er nog woonde, ontving elk lid van de uitgebreide al-Saud-familie genoeg geld om behoorlijk comfortabel te kunnen leven.

Daarnaast incasseerden veel prinsen, degenen die het dichtst bij de troon stonden of gewoon het meest corrupt waren, enorme percentages van zakelijke contracten voor bijvoorbeeld het schoonmaken van de wegen, het renoveren van de luchthaven of het aankopen van moderne wapens. Ze leefden in ongelooflijke overdaad. De olieopbrengst was hun persoonlijke bezit.

Deze prinselijke gewoonte van het incasseren van percentages, wat natuurlijk gewoon corruptie is, werd door geen enkele Saoedi die ik heb ontmoet als immoreel ervaren. Aan de andere kant was het echter *haram* om rente te innen op een spaarrekening, omdat de koran het innen van rente verbiedt. Ik kon zulke tegenstrijdigheden niet begrijpen, hoewel ik ze soms wel vermakelijk vond. Op een zeker moment was Yeslams broer Tareg de bank een grote som geld verschuldigd. Hij weigerde rente te betalen omdat dit in strijd met de islam zou zijn, en voorzover ik weet, heeft niemand hem daar ooit toe gedwongen.

Turki en Latifa bevonden zich niet in de hogere regionen van de macht. Hun toelage kwam bij lange na niet in de buurt van de miljoenen dollars per jaar die zijn gereserveerd voor de broers en zonen van de koning. Als aanvulling op zijn toelage hield Turki zich bezig met interieurontwerp. In die tijd vlogen tientallen binnenhuisarchitecten op en neer naar Djedda. Alle prinsen waren hun huizen aan het verbouwen. Het was een rage. Ze moesten eraan meedoen omdat iedereen het deed, al wisten ze niet hoe.

De huizen werden inzet van een hevige competitie. Enorme luxueuze landhuizen, zo betoverend als maar mogelijk was, werden zes maanden later weer overtroffen door nog grotere en nog voornamere uitvoeringen. Overal was marmer, hallen zo groot als de lobby van een hotel, protserige kroonluchters. Het was alsof je een meubelzaak was binnengelopen: geen harmonie, alles buiten proporties en niets paste bij elkaar.

Latifa en ik kwamen bij elkaar, praatten en leenden elkaar video's. We gingen samen uit winkelen. Toen Yeslam en Latifa mij op een dag aanspoorden een prachtige haute-couturejurk met borduurwerk te kopen bij Chanel in Parijs en ik zei dat ik me er niet toe kon brengen om 60.000 dollar neer te tellen voor iets dat ik in Saoedi-Arabië maar één keer kon dragen, moest Latifa gniffelen. We huilden samen om *Sophie's choice*. We praatten over onze echtgenoten. Vaak zat ik nog steeds in haar woonkamer wanneer aan het einde van de middag haar familieleden op bezoek kwamen.

Met Yeslam, Om Yeslam, Wafah en Najia in onze tuin in
Djedda.
'Ik had nu twee baby's en we waren een echt, klein gezin. Maar de geestelijke eenzaamheid die ik voelde sinds
die dag in Taef was niet verdwenen.'

Zwemmen met Najia in Haifa's zwembad.
'Haifa was een goede vriendin van me en we bleven contact
houden, ook toen ik Saoedi-Arabië allang had verlaten. Na de
aanslagen van 11 september heb ik haar echter nooit meer gesproken.'

December 1973, met mijn moeder en Yeslam in Genève.
'We brachten de kerstdagen vaak door in Genève. Het leek Yeslam niets uit te maken dat we een christelijk feest vierden, hoewel het later zelfs moeilijk werd om de verjaardagen van mijn dochters te vieren.'

'Kerstmis met de familie: cadeaus uitpakken met de meisjes.'

Met Yeslam en Najia thuis in Djedda.
'In het openbaar droeg ik de *abaya* die mijn hele lichaam bedekte. Deze foto, waarop ik gedeeltelijk onbedekt sta, kon alleen in huis genomen worden; zodra ik het hek uit ging, moest ik mijn *abaya* dragen.'

Nadia met een paar versiersels die ik gemaakt had voor hun verjaardagsfeest.
'Ik vond het belangrijk dat niet alles wat ze kregen gekocht was. Ik ben uren bezig geweest met deze zwanen.'

Onze achtertuin. 'In Djedda konden mijn dochters alleen binnen de begrenzing van het huis spelen en zelfs daar werd onze bewegingsvrijheid steeds kleiner. Toen de Saoedische normen weer werden aangescherpt, raakten wij onze beperkte vrijheden weer kwijt.'

Het huwelijk van Fawzia en Majid in 1981. Halil, Salem, Yeslam, Om Yeslam, Fawzia, Majid en zijn familie. 'We haalden alles uit de kast voor Fawzia's huwelijk. Ik was gek op Majid en was diep geschokt toen hij vijf jaar later omkwam bij een tragisch ongeluk.'

Wafah en Najia op de school in Djedda.
'Ik stond erop dat de meisjes naar school gingen, maar ik was zeer bezorgd over wat ze daar leerden.'

Aan de rand van het zwembad in Djedda. 'Foto's zijn in Saoedi-Arabië een zeer persoonlijke aangelegenheid. Ik wilde dolgraag wat foto's van mijn opgroeiende dochters hebben, dus vroeg ik de officiële fotograaf van de Bin Ladin Corporation naar ons huis te komen.'

Wafah met een vriendinnetje.
'De man op de foto op het bureau is koning Faisal, de
Saoedische koning die vermoord werd door zijn neef,
een islamitische fundamentalist.'

Tijdens ons laatste bezoek aan Djedda.
'Yeslams gedrag veranderde naarmate de meisjes ouder
werden. In een gesloten maatschappij stond hij ons
kleine vrijheden toe, maar in een vrij land werd hij
meer gesloten en restrictiever.'

Ula met Noor in Zuid-Frankrijk.
'Mijn vriendin Ula bleef altijd loyaal aan mij en de kinderen. Zij was een van de vele vrouwen die ik ontmoette wier kinderen haar afgenomen waren.'

In ons huis in Genève.
'Dit was het werkelijke begin van de vrijheid. Langzaam raakten we gewend aan een leven zonder de permanente angst voor het overtreden van de regels.'

'Na 11 september werd ons privé-leven een publieke aangelegenheid en ik vond dat ik de wereld ons standpunt moest laten weten.'

'Ondanks al die jaren van strijd, troost ik mij met de gedachte dat het mijn prachtige meisjes vrij staat om te zijn wie ze willen zijn.'

Een aantal van de Saoedische prinsessen die ik in die tijd en later heb ontmoet, leidde een dusdanig decadent en apathisch leven dat het moeilijk was een gevoel van afkeer te onderdrukken. Ze waren grootgebracht in volledige gehoorzaamheid en absolute dwaasheid. Sommigen waren getrouwd met een man die meerdere vrouwen had en hadden heel weinig met hun echtgenoot te maken. Enkelen waren gescheiden. Hun kinderen werden verzorgd door een heel bataljon dienstmeisjes en huishoudelijk personeel. En hoewel het de prinsessen in materieel opzicht aan niets ontbrak, hadden ze niets te doen.

Net als de koninginnen in Frankrijk in het verleden, woonden de prinsessen in afzonderlijke huizen naast het huis van hun echtgenoot. De huizen van de vrouwen waren kleiner en hadden een aparte ingang. Soms was er één keuken of één groep keukenpersoneel voor de beide huizen, maar verder had elk huis een eigen legertje bedienden – in het huis van de vrouw uitsluitend vrouwen. De chauffeurs waren mannen, maar als de prinsessen uitgingen werden ze altijd vergezeld; nooit waren ze alleen met de chauffeur. De enige mannen die deze vrouwen ooit zagen, waren hun echtgenoten, en misschien hun vader, broers en zonen.

De prinsessen stonden op in de middag, kleedden zich aan, telefoneerden wat en speelden soms wat met de kinderen. Daarna gingen ze winkelen. Winkelen kan een remedie zijn voor vele kwalen, en het was de belangrijkste activiteit voor de prinsessen. In die tijd waren er dure winkels, speciaal voor vrouwen, met vrouwelijke winkelbedienden uit Libanon of Egypte. Daar kon je de kleding die je uitzocht tenminste bekijken zonder de zwarte sluier voor je ogen.

Binnen hun eigen huis stond het ze vrij minirokjes van Yves

Saint Laurent te dragen, evenals buitensporige make-up en diepe decolletés. Binnen hun eigen huis mochten ze min of meer doen wat ze wilden. Maar ze waren gevangenen. Buiten waren ze volledig bedekt, net als ik, in de *abaya*. Het was alsof je een gevangenis op je rug meedroeg.

Rond die tijd waren er een paar restaurants in Saoedi-Arabië. Een of twee hadden een 'gezinsafdeling' opgezet, waar man en vrouw konden zitten met hun kinderen. De vrouw moest hier proberen volledig gesluierd te eten en de spaghetti naar binnen te werken zonder een centimeter huid te laten zien. Er waren ook restaurants met speciale vrouwenafdelingen waar je je sluier af kon doen en waar de ober klopte voor hij binnenkwam. Voor elke nieuwe gang en voor elk nieuw flesje Perrier moest je je dan even sluieren. Dat was dus ook iets wat de prinsessen konden doen: eten in een triest etablissement dat voor restaurant moest doorgaan.

Tegen het vallen van de avond gingen de prinsessen bij elkaar op visite, of maakten ze zich klaar voor het diner – een diner met alleen vrouwen. Vaak kon je het diner in het aangrenzende huis van de echtgenoot horen. De vrouw belde haar man, een paar meter verderop, zelfs wel eens om hem te vragen de een of andere delicatesse te laten serveren. Het gesprek ging meestal over kleren of het waren roddels. De onwetendheid van deze vrouwen kende geen grenzen. Het was alsof ze nooit naar school waren geweest. (Ook hun kinderen waren onwetend. Geen leraar mocht een jong prinsje corrigeren.) Het eten was nooit bijzonder smakelijk, maar er was veel: enorme stoofschotels met bonen en rijst en sierlijke manden vol fruit waar geen smaak aan zat.

Veel prinsessen leefden op pillen – op recept, uiteraard. Telkens wanneer ze naar Londen reisden, gingen ze direct naar de chique artsen in Harley Street en bezochten ze klinieken voor talloze onderzoeken. Sommigen hadden thuis een eigen sportzaal en zwembad, maar ik heb nooit één prinses zien zwemmen. Deze vrouwen zagen nooit het daglicht.

Ze hadden problemen met hun botten door gebrek aan zonlicht en beweging, hartproblemen door te veel eten, en psychosomatische problemen in overvloed. Ik denk dat een zeer groot deel van deze vrouwen aan depressies leed. Ze woonden naast hun echtgenoot die zich bijna niet met hen bemoeide – sommigen hadden een tweede vrouw – en verkeerden in permanente onzekerheid, want het huwelijk zou op een dag zomaar ontbonden kunnen worden. Ze hadden totaal geen verantwoordelijkheid over, noch greep op wat dan ook. Ze leefden in volledige afhankelijkheid, volledig passief, als dikke witte maden, in een slaap-waaktoestand. Dat was geen leven.

Als ik me niet verantwoordelijk had gevoeld voor mijn dochters, had ik ook zo kunnen leven. Ik zou me nog steeds in hun midden hebben bevonden.

Veel prinsessen hadden een verhouding met elkaar. Ze raakten smoorverliefd, werden jaloers en kregen enorme kuren. Ik vond het vooral triest. Als je lesbisch geboren wordt is dat één ding. Maar als je daarin je toevlucht zoekt omdat je bent getrouwd met een man die geen tijd met je doorbrengt en met wie je bijna niets deelt, is het iets heel anders. Ik heb me wel eens afgevraagd of hun promiscuïteit misschien geworteld was in de scherpe seksuele scheiding, waardoor natuurlijke omgang tussen mannen en vrouwen onmogelijk werd gemaakt.

We hadden allemaal de geruchten gehoord van een soort

lesbisch circuit in Riyad, waar vrouwen met elkaar omgingen en elkaar oppikten. Ik kende een Egyptische vrouw, getrouwd met een hooggeplaatste Saoedi, die verliefd werd op een prinses. Ze was er ziek van toen de prinses haar verliet. Zelfs van een van mijn schoonmoeders, die ook in Riyad woonde, werd gezegd dat ze lesbisch was. In Riyad deden waarschijnlijk dezelfde geruchten de ronde over een lesbisch circuit in Djedda. Ik heb de party's zelf nooit gezien, maar er zijn mij wel eens oneerbare voorstellen gedaan. Het ging mij allemaal veel te ver.

De meeste mannen wisten waarschijnlijk niet dat hun vrouw sliep met andere vrouwen. Degenen die erachter kwamen, gaven er misschien niet zó veel om dat ze er een eind aan wilden maken. Saoedische mannen geven niet om vrouwen. Wat telt is de vrouw te bezitten, dat is cruciaal. Wanneer ze eenmaal opgesloten zijn en nageslacht voortbrengen, is het niet zo belangrijk wat zich bij hen binnenshuis afspeelt.

Homoseksualiteit is verboden in Saoedi-Arabië, op straffe van geseling in het openbaar. Veel mannen hebben echter homoseksuele contacten, vooral in hun jonge jaren voordat ze trouwen. Niemand is geschokt bij het zien van twee mannen die hand in hand over straat lopen, maar als een man dat in het openbaar met zijn vrouw zou doen, is men wel ontzet en zou de religieuze politie direct met knuppels toesnellen. De homoseksuele gewoonten uit de tienerjaren verdwijnen niet altijd helemaal, en in dat opzicht onderscheiden de al-Saud-prinsen zich niet van anderen – integendeel, misschien. Je hoort wel eens wat. Een Europese binnenhuisarchitect vertelde me ooit dat hij dacht dat er meer homoseksuele mannen waren in Saoedi-Arabië dan in Europa.

Een Saoedische man die we goed kenden, en wiens vrouw we ook goed kenden, kwam ooit aan bij ons huis in Genève met een overduidelijk homoseksuele Duitser naast hem in zijn blauwe Porsche. Ik weet niet wat ze en of ze wat met elkaar deden. Dat maakte me ook niets uit. Mensen moeten maar doen wat ze willen. Maar ik wist dat deze zelfde man de gedachte om bij ons huis aan te komen met een vrouw die niet zijn echtgenote was, wel schokkend zou vinden. Ik ergerde me gruwelijk aan de hypocrisie van deze levenswijze.

Ik heb niet veel Saoedische prinsen ontmoet. Ik weet dat de prinsessen mannelijke tegenhangers hadden – prinselijke parasieten die een leven leidden van verspilling, onwetendheid en losbandigheid. Daarover hoor je genoeg in het Westen. Ook ik heb de geruchten gehoord over vliegtuigen vol callgirls die voor het weekend overkwamen vanuit Parijs. Ik weet niet zeker of deze geruchten waar zijn. Het zou geen eenvoudige zaak zijn om voor een dergelijke groep visa en autorisatie te krijgen op het vliegveld, tenzij je zelf heel hooggeplaatst bent. Als zulke party's al plaatsvonden in Djedda, heeft Yeslam me er in ieder geval nooit over verteld.

Ik heb wel gehoord over prinsen die in Genève in ontwenningsklinieken werden opgenomen, voor heroïne, alcohol of cocaïne. En net als iedereen ken ik ook de verhalen over weerzinwekkend buitensporige seksparty's in Europa.

Niet alle prinsen waren verachtelijke hypocrieten. De al-Sauds hebben ook een respectabele kant. In de zomer, wanneer het hof van de al-Sauds naar Europa verhuisde, ging Yeslam in Genève vaak om met prins Majid en later met prins Meshal. Wanneer hij ze meenam naar huis, trok ik me altijd boven terug. Ze waren nog van de oude stempel. Misschien werkten ze niet zo hard, maar ze straalden een zekere waardigheid uit. Ze waren oprecht.

Ik liep een keer te winkelen in Genève in een jurk tot op kniehoogte, toen ik Yeslam en prins Meshal aan de overkant van de weg zag. Yeslam stak over om iets tegen me te zeggen, maar prins Meshal bleef waar hij was en keek enigszins de andere kant op. Zelfs in Zwitserland kijk je niet naar de vrouw van een andere Saoedische man.

Als ik in het buitenland was, was ik vrij. Zolang ik in Europa was, wilde ik beslist niets te maken hebben met de al-Sauds. Ik neem aan dat Yeslam wel graag zou hebben gezien dat ik zou proberen aan te pappen met de vrouwen en het gevolg van de prinsen, die vaak een hele etage reserveerden in de beste hotels van de stad. Ik besteedde zo min mogelijk aandacht aan ze, maar soms voelde ik me verplicht ze een bezoek te brengen. Het was alsof je weer terug was in Djedda. Soms was de hele etage van een van de luxe hotels in Genève omgebouwd tot een Saoedisch vrouwenverblijf. Zodra je uit de lift stapte, zag je de dienstmeisjes uit Djedda, rook je de sterke wierook uit Djedda en herkende je de gedragspatronen uit Djedda.

Tijdens een dineetje in de Saoedische ambassade in Genève zat ik ooit eens naast een van de dochters van prins Meshal, een opzichtige, arrogante vrouw. Ze begon aan een verhaal over koning Faisal, die haar verteld zou hebben dat hij een man had gezien die een andere man in de lucht had laten zweven. Ik draaide me om en zei, niet op beledigende toon: 'Ik geloof je niet.' Ze was zo woest dat ik haar tegensprak dat ze zich in haar stoel omdraaide en de hele avond geen woord meer tegen me zei. Als zovelen in de Saoedische koninklijke familie, duldde ze geen tegenspraak – zeker niet van een buitenlander.

Ik had er geen behoefte aan deze vrouwen op hun wenken te bedienen, hen te vergezellen tijdens hun buitensporige winkeluitjes, gekleed als gemaskerde wezens van een andere planeet. Waar ze ook gingen, ze droegen Saoedi-Arabië met zich mee. En daar wilde ik niet zijn. Zwitserland was waar ik mezelf kon zijn. In die paar gelukzalige weken klampte ik me vast aan mijn eigen leven. Ik wilde niets te maken hebben met Saoedi-Arabië.

17 Weg uit Saoedi-Arabië

Yeslams bedrijf deed goede zaken, evenals de Bin Ladin Corporation. Iedereen in Saoedi-Arabië leek geld te verdienen. Bouwprojecten die qua omvang aan de tijd van de farao's deden denken, schoten bijna dagelijks uit het woestijnzand omhoog. Drie jaar lang bezat Yeslam de enige makelaardij in Saoedi-Arabië, en de grote handelsfamilies, evenals vele Bin Ladin-broers, investeerden hun geld bij hem. (De meeste Saoedische prinsen investeerden toen niet bij Yeslam. Ze wilden niet dat een andere Saoedi zou weten hoeveel ze werkelijk waard waren.)

Yeslam bleef klagen over zijn kwaaltjes. Hij was nukkig en werd steeds kinderachtiger en veeleisender, steeds meer op zichzelf en zijn min of meer ingebeelde kwaaltjes gericht, en steeds verder verwijderd van de kinderen.

Aanvankelijk had ik de Saoedische nationaliteit van Yeslam als een onbeduidend detail gezien, maar nu werd hij steeds meer een typische Saoedi. Hij begon de Saoedische cultuur aan ons op te leggen. De meisjes werden ouder en Yeslam had steeds vaker kritiek op hun gedrag en het leek dat hij wilde dat ze zich meer op Saoedische wijze gingen kleden.

Yeslam snauwde tegen de kinderen als ze nauwsluitende kleding of korte shorts droegen en stond erop dat ze zich zouden verkleden voordat we de deur uit gingen, zelfs in Genève.

Hij werd onverschillig tegen ons en stuurde de kinderen weg als hij zich niet goed voelde. Hij had de zorg voor de kinderen altijd aan mij overgelaten; ik kreeg nu het gevoel dat dit niet was omdat hij zoveel vertrouwen had in mijn beoordelingsvermogen. Het kon hem gewoon niets meer schelen.

Terwijl Yeslam steeds meer Saoedisch werd, begon Saoedi-Arabië steeds schizofrener te worden. De meer verdorven prinsen bleven zich te buiten gaan aan hun spilzieke persoonlijke levenswandel, terwijl de koninklijke familie tegelijkertijd steeds strengere beperkingen oplegde aan de gewone onderdanen. Extremistische ideeën vonden alom steeds meer bijval.

Sommigen van de Bin Ladin-zussen begonnen te klagen dat hun kinderen te veel werden blootgesteld aan westerse invloeden. De meest bekrompen schoonzusters kwamen met een oplossing: een eigen meisjesschool in Djedda, met streng islamitisch onderricht. Vele andere schoonzusters schreven hun kinderen in. Ze nodigden me uit ook Wafah en Najia op te geven.

Vroeger zou ik nog wel de spot hebben gedreven met het idee, of een vurige discussie zijn aangegaan met mijn schoonzussen om uit te leggen waarom ik vond dat ze ongelijk hadden. Nu liet ik het maar bij een glimlach en de opmerking dat mijn kinderen het prima naar hun zin hadden waar ze waren. Ik kon het niet meer opbrengen mijn nek uit te steken. Ik had het gevoel dat het geen zin meer had. Mijn hoop op wezenlijke veranderingen was nu helemaal vervlogen. Niemand zou hebben begrepen hoe afschrikwekkend ik de gedachte vond mijn dochters naar een nog strengere school te sturen. Zelfs Yeslam niet.

Dat jaar verschenen slechts een paar nichtjes op het verjaar-

dagsfeest van mijn kinderen. Ik vermoed dat mijn schoonzusters de muziek en het dansen niet meer tolereerden. Volgens
hen kwamen mijn dochters in de puberteit en zouden ze zich
niet meer als gekke westerse meisjes moeten gedragen, maar
als Saoedische vrouwen.

Voor Yeslam en mijzelf was het nu routine alle schoolvakanties in ons huis in Zwitserland door te brengen. In 1985
werd het ons echte thuis. Definitief. Die zomer klaagde Yeslam voortdurend over kwaaltjes, zoals gewoonlijk. Zijn longen waren zwak, zijn hart was niet sterk, hij had last van zijn
maag. Toen het september werd, tijd om terug te keren naar
Djedda voor het begin van het schooljaar, kwam ik erachter
dat Yeslam nog steeds geen vlucht had geboekt. Hij zei dat hij
zich niet goed genoeg voelde.

De dagen kropen voorbij. Ik vond het een hele opluchting
nog een paar dagen door te brengen in de zomerse vrijheid,
weg van het naargeestige schooljaar in Djedda, maar eind september werden de kinderen rusteloos. Ik zei tegen Yeslam dat
de kinderen toch ergens naar school moesten gaan. Als hij half
oktober nog steeds geen vlucht had geboekt, zou ik ze moeten inschrijven op een school in Genève.

Ik hield mijn adem in. Op 15 oktober had Yeslam nog steeds
niets ondernomen. Ik reed stilletjes naar een internationale
school buiten Genève. Het leek wel een droom: computerlokalen, talenpracticum, sportfaciliteiten, kunstlessen. Het was
een gemengde school. De meeste kinderen waren van ouders
die werkten voor de Verenigde Naties, ze waren pienter, vrolijk,
onbevreesd. Ik sprak met het schoolhoofd, legde de situatie uit
en schreef Wafah en Najia in voor het semester. Vervolgens ging
ik naar huis en vertelde Yeslam dat ik een tijdelijke regeling had

getroffen om de kinderen naar school te laten gaan.

Op de eerste schooldag droegen ze jeans, net als alle anderen. Toen ze thuiskwamen, hadden ze heel wat te vertellen. Er waren jongens in de klas! Er waren geen godsdienstlessen, niet meer urenlang de koran uit je hoofd leren; ze hadden discussies! De meisjes deden sport – ze konden tennissen en voetballen! Ze konden meedoen aan muziekles, een toneelclub! Ze lagen gezien hun leeftijd erg achter: in Frans en grammatica natuurlijk, maar ook in wiskunde en aardrijkskunde. Maar ze waren dolenthousiast. En ik was dat ook.

Ik probeerde niet aan een al te grote blijdschap toe te geven. Dit was te mooi om lang te kunnen duren. Alles zou veranderen zodra Yeslam besloot ons mee terug te nemen naar Djedda. Terugkeren zou nu nog veel zwaarder zijn voor de meisjes nu ze zoveel vrijheid hadden genoten. Toch, vanbinnen, was ik dolblij.

In november hadden Michael Gorbatsjov en Ronald Reagan een topontmoeting in een huis verderop in de straat, in het Zwitserse dorpje buiten Genève waar wij woonden. Het hele dorp stond stijf van de legertrucks met overal controleposten op de weg. De dreigende sfeer bracht Yeslam in paniek. Hij zei dat we moesten vertrekken en dat het te gevaarlijk was te blijven. Ik wist zeker dat ons dorp op dat moment waarschijnlijk de veiligste plaats op de hele planeet was, maar in zijn paniek was Yeslam niet voor rede vatbaar. Hij wilde dat we met zijn allen naar Londen gingen voor de duur van de topontmoeting.

De school was net begonnen. Ik bracht naar voren dat het onredelijk zou zijn ze er zo snel weer vanaf te halen. En ik wilde ook geen precedent scheppen. Ik wilde ze zo graag een heel, gelukzalig semester in Zwitserland laten doorbrengen. Om Yeslam tot bedaren te krijgen, stemde ik ermee in samen met hem naar Londen te vertrekken en regelde dat een privéleraar zou komen om een paar dagen voor de meisjes te zorgen, samen met mijn dierbare Dita, onze trouwe Filippijnse kinderjuf.

Pas toen ik in het vliegtuig zat, drong het goed tot me door dat Yeslam, die ervan overtuigd was dat het huis niet veilig was, de kinderen daar toch had achtergelaten. Ik wist dat het veilig was, maar Yeslam geloofde dat niet. En toch had hij de kinderen daar gelaten. Als je zijn logica doortrok, had hij ze dus eigenlijk aan hun lot overgelaten. Ik draaide me om en bestudeerde Yeslam zoals hij daar naast me zat. Als er nu eens werkelijk gevaar dreigde, dacht ik, zou Yeslam dan de eerste zijn om het hazenpad te kiezen? Gaf hij echt alleen nog maar om zichzelf?

Yeslam kon nog steeds functioneren, op het zakelijke vlak tenminste. Hij had al een bedrijf met een kantoor in Genève. Nu ging hij ook naar het vliegveld om de Saoedische prinsen te begroeten op het moment dat ze voor vakantie in Genève aankwamen. Hij probeerde ze voor zich te winnen als vrienden en klanten en werd een soort rechterhand voor hen. Yeslam had contacten in de Saoedische ambassade en bij Saudia, de nationale luchtvaartmaatschappij. Zij hielden hem op de hoogte van wie in de stad zou komen. Yeslam begroette de prinsen op het vliegveld en bracht de middag en avond met hen door. Een van hen was prins Meshal, een van de belangrijke Saoedische prinsen, een broer van koning Khaled en zijn opvolger, koning Fahd.

Yeslam was altijd geobsedeerd door kleding. Nu deed hij er

nog een schepje bovenop. Hij ontwikkelde een soort wedloop met prins Meshal, wie van beiden het elegantst was. Yeslam moet wel driehonderd kostuums in zijn bezit hebben gehad, allemaal op maat gemaakt natuurlijk. Yeslam zei altijd dat koning Fahd alle uitgaven voor prins Meshal zou vereffenen, omdat hij Meshal uit de lijn voor troonopvolging wilde houden, ondanks zijn positie. Vanwege zijn leeftijd zou Meshal kroonprins Abdallah moeten opvolgen, maar koning Fahd had andere plannen met het koninkrijk, vertelde Yeslam me. Dat was de prijs die koning Fahd bereid was te betalen: hij kocht het geboorterecht van Meshal op de troon af.

Ik was enorm enthousiast over de vorderingen van de kinderen op school. Ze waren zo gelukkig, en aan het eind van het eerste semester vertelden de leraren me dat ze al bijna helemaal bij waren met het lesprogramma. Maar tegelijkertijd voelde ik me machteloos vanwege Yeslam; hij werd steeds nerveuzer en afstandelijker. Ik had geen wondermiddel om dit probleem op te lossen.

Zo langzamerhand was ik me alleen gaan voelen aan de zijde van mijn echtgenoot. Zelfs als hij fysiek aanwezig was, leek Yeslam geestelijk niet betrokken. De eenvoudige pleziertjes, zoals naar de spelende kinderen kijken, met ze zwemmen, lezen, interesseerden hem niet meer. Als hij bij me was klaagde hij constant dat hij zich niet goed voelde en praatte alleen over zijn kwaaltjes of zijn familieproblemen.

Ik voelde me gewoon niet langer sterk genoeg om zonder hulp een heel gezin te dragen. Ik wilde hem uit de depressie schudden waar hij in zat, slechts gericht op zichzelf en zijn kwaaltjes. Ik maakte me zorgen over Yeslam. Ik vond dat hij professionele hulp nodig had, omdat ik hem niet bleek te kunnen helpen. Het is moeilijk toe te zien hoe iemand telkens klaagt over symptomen die hij zich inbeeldt. Het gebeurde vaak dat we ons kleedden voor een uitje, de stad in reden, maar halverwege weer omdraaiden. Yeslam kon het gewoon niet aan.

Paradoxaal genoeg ging Yeslam steeds meer typisch Saoedische trekken vertonen nu we in Europa verbleven. Ik weet niet of dit kwam door schuldgevoelens over het feit dat we ons nu in het buitenland hadden gevestigd. In Saoedi-Arabië hadden we onze verbijstering over de Saoedische gemeenschap met elkaar gedeeld en gingen we met westerlingen om. Hier, deel uitmakend van een moderne gemeenschap, zocht Yeslam het gezelschap van Saoedische mannen en wachtte hij vol verwachting op de aankomst van de Saoedische prinsen. Hij leek te verlangen naar zijn oorsprong en in zijn omgang met mij en de kinderen werd hij een stuk baziger.

Yeslam stelde regels op voor onze kleding, niet te kort of te bloot, en onze levenswijze. Ik leefde nu in een vrije wereld, maar voor mijn gevoel moest ik altijd voor Yeslam klaarstaan. Ik ging nooit uit zonder hem. Hij vergezelde me zelfs tijdens mijn etentjes met mijn vriendinnen. In een gesloten gemeenschap gunde Yeslam me een stukje vrijheid, maar nu, in een open maatschappij, hield hij me in een vaste greep.

Ik weet niet of het de invloed was van de Saoedische mannen die hij zag, maar Yeslam begon om te gaan met andere vrouwen. Op een voorjaarsdag ging de telefoon. Een man zei: 'Zeg tegen je man dat hij moet stoppen achter mijn vrouw aan te jagen.' Het was de echtgenoot van Yeslams secretaresse. Ik was verbijsterd. Ik dacht altijd dat Yeslam 's avonds laat met de prinsen op pad was. Hij had niet veel vrienden, dus als hij zonder mij uitging, nam ik altijd aan dat het voor zaken was. Het drong nu tot me door dat hij tegen me had gelogen. Ik was geschokt.

Yeslam zei dat ik hysterisch was. Aanvankelijk gaf hij geen krimp. Hij hield vol dat hij niets had gedaan. Toen ik dreigde te vertrekken, raakte hij in paniek. Uiteindelijk legden we alles bij, maar er was toch iets echt mis in ons huwelijk.

Ik raakte weer in verwachting. Ik wist dat ik dit kind hoe dan ook zou houden: dit kind was door God gezonden. Toen Yeslam durfde aan te dringen op weer een abortus, walgde ik van hem. Hoe kon hij me vragen weer die afschuwelijke procedure te doorstaan en die vreselijke, lange nasleep? 'Nooit,' zei ik hem. 'Wat er ook gebeurt, nooit meer.'

Nu ik terugkijk denk ik dat dat het moment was waarop Yeslam vond dat ik hem in de steek liet. Ik wilde de zwangerschap niet afbreken, hoewel hij me dat had gevraagd. Dit was het eind van mijn huwelijk: mijn weigering, zijn woede.

Misschien was het lange trieste proces dat leidde naar het eind van mijn huwelijk al veel eerder begonnen, toen in Saoedi-Arabië Yeslams open, westerse persoonlijkheid begon te scheuren en te rafelen. Misschien was het die permanente spanning tussen de broers en hun onderhuidse strijd om geld, macht en prestige; misschien waren het de gebeurtenissen in 1979 die bij Yeslam een omslag teweeg hadden gebracht, zoals dat ook met het land gebeurde. Na de opstand in Mekka is niets ooit meer hetzelfde geweest. Ik denk dat toen de spanningen tussen extremistisch fundamentalisme en westers georiënteerde ideeën over materiële welvaart ondraaglijk werden. Het was op dat moment dat Saoedi-Arabië zich realiseerde dat zijn cultuur zich aan het opsplitsen was in een moderne economie en een eeuwenoude sociale orde – tegenstellingen die de Saoedische cultuur niet kon, of wilde oplossen. Misschien was het die spanning die ook Yeslam verscheurde.

Het kan ook zijn dat toen Yeslam en ik Saoedi-Arabië verlieten, hij zich paradoxaal genoeg juist meer Saoedi voelde. Hoe langer hij in het buitenland woonde met zijn gezin, hoe meer hij de aandrang voelde terug te keren naar zijn wortels.

Wat de reden ook is, wat ook het moment was dat de wind definitief van richting veranderde, Yeslam was niet meer dezelfde. Gedurende mijn hele zwangerschap sprak hij nauwelijks met me. Hij was koeltjes, zwijgzaam en gebiedend. Hij kwam laat thuis, rond drie of vier uur 's morgens. Mijn man was een vreemde voor mij.

Toen het kind eenmaal was geboren, noemde ik haar Noor – het licht. En ze was inderdaad mijn lichtpuntje, later, toen de wereld om me heen er soms zo duister uitzag. Zelfs toen ze nog maar een paar uur oud was, zag Noor er al zo lieflijk uit, met haar grote open ogen, niet gerimpeld en vuurrood zoals de meeste baby's, maar zo kalm, met zo'n heldere blik.

Yeslam deed wel pogingen om attent te zijn na Noors geboorte. Hij was lief voor Noor en zelfs voor mij. Hij stond erop dat ik snel thuis zou komen uit de kliniek, en dat deed ik ook. Ik moest Noor daar achterlaten, omdat ze een lichte geelzucht had. Yeslam ging minstens één keer per dag met me mee als ik haar ging voeden.

Iets in mij wilde me ervan overtuigen dat Yeslam gelukkig was. Waarschijnlijker was dat hij toen al wist dat alles binnenkort voorbij zou zijn. Waarschijnlijker was dat hij gelukkig was omdat hij iemand anders had. Ik had wel door dat er tussen ons iets geknakt was, maar ik wist niet wat ik kon doen om het te lijmen. Ik sprak uren over de telefoon met Mary Martha, op zoek naar troost.

Noor werd geboren in april 1987. In september zag ik Yeslam weer met een andere vrouw. Die avond kon ik niet in slaap komen, zoals zo vaak, en nam de auto om een ritje door de stad te maken. (Om de een of andere reden hebben auto's altijd een kalmerende invloed op me gehad.) Toen ik toevallig langs Yeslams kantoor reed, in het centrum van de stad, zag ik zijn auto staan. Ik parkeerde de mijne en wachtte. Pas om ongeveer een uur 's nachts kwam Yeslam naar buiten. Met een vrouw.

Ik drukte hem met de neus op de feiten. Yeslam beweerde dat hij de vrouw niet kende, maar het was duidelijk dat hij loog. Ik wist dat ik bij hem weg moest. Nu. Maar ik kon de kinderen geen pijn doen. En bovendien was ik bang dat hij de kinderen van me af zou proberen te pakken en ze mee terug zou nemen naar Saoedi-Arabië. Ik was doodop. Ik durfde de strijd die me te wachten stond niet aan.

Op een middag gaf Yeslam me een juridisch document ter ondertekening. Het waren een soort huwelijkse voorwaarden, maar dan achteraf. Er stond in waar ik wel en geen aanspraak op kon maken als we ooit zouden scheiden. Yeslam vertelde me dat het in het belang van de kinderen was. Toen ik aarzelde en zei dat ik niet kon zien hoe de belangen van de kinderen hiermee waren gediend, verloor Yeslam zijn zelfbeheersing.

'Ik wilde Noor niet maar jij zette toch door,' zei hij. 'Als je geen problemen wilt, als je wilt dat ik haar accepteer, zet je je handtekening hieronder.'

Ik was aan het eind van mijn Latijn, zowel fysiek als geestelijk. De eenzaamheid gedurende mijn zwangerschap en de voorbije maanden van stress hadden me uitgeput. Yeslam dreigde: hij zei me telkens weer dat hij Wafah en Najia van me weg zou nemen. Hij zette me constant onder druk. Ik wist dat hij volgens de Zwitserse wet de kinderen mee op vakantie mocht nemen, alleen. Ik wist dat als mijn kinderen ooit een voet op Saoedische grond zouden zetten, ik ze nooit weer terug zou zien. Geen regering ter wereld zou in staat zijn ze daar weer vandaan te krijgen.

Mijn eigen echtgenoot had me in de val gelokt. Het enige dat er voor mij echt toe deed was dat hij mijn dochters met geen vinger zou aanraken. Ik gaf toe en tekende het document, uit angst en om de vrede te bewaren. Meer dan wat ook wilde ik dat Yeslam zou stoppen mij te kwellen.

Het werd echter alleen maar erger nadat ik getekend had. Yeslam veranderde niet zoals ik gehoopt had. Hij werd nog afstandelijker; hij was nauwelijks nog thuis. Mijn gezondheid ging eronder lijden. Ik begon af te vallen – ik kon geen hap door mijn keel krijgen. Ik kon nauwelijks voor de kinderen zorgen. In oktober lag ik een paar dagen in het ziekenhuis, aan een infuus. Ik woog nog maar 45 kilo.

Tijdens de daaropvolgende kerstdagen, in een poging om de schijn van een gezinsleven voor de meisjes op te houden, nam ik baby Noor en de kinderen mee om te skiën in de bergen. Yeslam zou zich daar bij ons voegen, maar hij belde dat prins Meshal er was. Een deel van me wilde hem geloven, maar ik wist dat hij loog.

Op oudejaarsavond ging Yeslam de deur uit, maar kwam al vroeg weer thuis. Hij ging meteen slapen – we sliepen toen al in aparte slaapkamers. Telkens ging de telefoon, maar wanneer ik opnam, hing de beller op. Ik maakte hem wakker en zei tegen hem dat ik dacht dat iemand hem probeerde te bereiken. De volgende morgen ging hij vroeg de deur uit. Toen hij terugkwam, zei hij dat het waarschijnlijk allemaal een stomme dronken nieuwjaarsgrap was geweest.

Ik was kwetsbaar, maar niet achterlijk. Misschien had ik anders gereageerd als Yeslam eerlijk tegen me was geweest, maar zulke regelrechte leugens kon ik niet accepteren. We hadden ruzie. Yeslam was razend. Ik vroeg hem te vertrekken. Hij smeet de deur dicht en was vertrokken.

Het was dus op 1 januari 1986 dat mijn leven veranderde.

Wat volgde was bitter en slopend, en ik geloof niet dat het veel zin heeft daar nog over uit te weiden. De meisjes en ik bleven in Zwitserland. De familie Bin Ladin verstootte hen volledig. Op een zeker moment ging ik op bezoek bij Yeslams broer Ibrahim, die altijd een goede vriend van me was geweest. Ik smeekte hem te praten met Yeslam, maar Ibrahim zei: 'Hoezeer je ook gelijk hebt, Carmen, mijn broer heeft nooit ongelijk.'

Een andere keer zag Najia Om Yeslam, haar oma, en Fawzia, haar tante, op straat in Genève. De vrouwen keerden zich gewoon af van mijn kleine meid, die in hun gezelschap was opgegroeid. Geen van de Bin Ladins, zelfs niet degenen die voorheen mijn gezelschap op prijs schenen te stellen, had ooit de moed Yeslam te trotseren en contact op te nemen met mij, of met de kinderen die toch in hun midden waren opgegroeid.

Onze echtscheiding is verschrikkelijk geweest. Yeslam heeft al zijn geld en invloed gestopt in een kolossale inspanning om mij in zijn greep te houden en wraak te nemen. Hoewel hij had beloofd dat hij het niet zou doen, eiste hij het recht om Noor mee te nemen naar Saoedi-Arabië – Wafah en Najia niet, omdat hij waarschijnlijk dacht dat de oudere kinderen konden weigeren. Hij vocht uit alle macht over elk detail. Yeslam rekte de juridische procedure zo lang mogelijk, zodat hij zijn bezittingen kon wegstoppen en mijn kinderen en mijzelf kon beroven van zijn financiële ondersteuning.

Het ergste van de lange strijd die wij uitvochten kwam toen uiteindelijk de zorg voor de kinderen aan mij was toegewezen. Toen beweerde Yeslam opeens dat hij niet de vader van Noor was. Dat was een onbeschrijflijk lage streek van hem, uiterst vernederend – voor mij, maar vooral voor kleine Noor. Het is ronduit afschuwelijk dat iemand zoiets kan doen. Zijn claim was natuurlijk vals, dat konden we bewijzen.

Ik moest vragen of iedereen mee wilde werken aan een DNA-test om te bevestigen dat Yeslam gelogen had en dat Noor wel degelijk zijn dochter is. Ze was toen pas negen jaar. We moesten allemaal getest worden; Yeslam liep de kliniek binnen terwijl Noor en ik in het kantoor van de dokter zaten. Wafah sprong op hem af en vroeg hem hoe hij zoiets kon doen. Yeslam negeerde haar gewoon. Hij liep zijn dochters zo voorbij.

Sinds die dag heeft Yeslam nooit meer met een van zijn dochters of met mij gesproken.

De slag duurt nog steeds voort. Wettelijk zijn we nu gescheiden; Wafah en Najia zijn wettelijk volwassen en Noor is veilig onder mijn hoede. Yeslam verzet zich echter nog steeds tegen een financiële regeling en vecht met alle mogelijke juridische procedures zodat werkelijk elke kleine overwinning van mij een bittere nasmaak krijgt. Soms voel ik me als David tegenover Goliath.

Als we in Saoedi-Arabië waren geweest, was de echtscheiding voor Yeslam een eenvoudige zaak geweest. Het zou nog geen halve dag hebben geduurd, en ik zou mijn kinderen voorgoed kwijt zijn geweest. Maar we waren in Zwitserland. En één man geloofde in me: mijn Zwitserse advocaat, Frédéric Marti. Aan hem, en aan de westerse praktijk van gelijkheid en het principe van recht en redelijkheid, dank ik de vrijheid van mijn kinderen.

Yeslam woont nu in Genève, net als ik. Wanneer hij zijn dochters ziet, kijkt hij door ze heen alsof ze er niet zijn. Hij weigert elk contact met hen. Hij heeft zelfs geprobeerd te voorkomen dat ze naar de universiteit gingen, omdat dat volgens hem geen enkele zin had.

Aan het eind van de jaren negentig vroeg Yeslam de Zwitserse nationaliteit aan. In eerste instantie werd dat geweigerd, maar in 2000 werd voor hem de noodzaak om een Zwitsers paspoort te verkrijgen opeens veel dringender. Yeslam startte daarom een uitgebreide mediacampagne waarin hij benadrukte dat hij in Zwitserland moest wonen om dicht bij zijn kinderen te kunnen zijn, ook al had hij in werkelijkheid alle contact met de kinderen al jaren verbroken. Ik kan niet anders dan concluderen dat hij de kinderen gewoon gebruikt heeft om zijn eigen belangen veilig te stellen. In mei 2001 werd hem het Zwitserse staatsburgerschap toegekend.

Wat zijn nationaliteit ook is, Yeslam is nu weer een echte Saoedi.

Hij heeft ons onophoudelijk bestookt met juridische procedures. Ik heb twee keer een angstaanjagende officiële brief uit Saoedi-Arabië ontvangen waarin ik werd opgeroepen voor een hof in Djedda te verschijnen. Als mijn advocaat om een

verklaring vroeg, beweerde Yeslam dat het was voor een Sa-
oedische scheiding. Ik wist dat hij loog: bij een scheiding in
Saoedi-Arabië is de aanwezigheid van de vrouw niet nodig.
Ik leid eruit af dat Yeslam me aanklaagt wegens overspel.

In Saoedi-Arabië staat hierop de doodstraf.

Als het waar is dat hij me wegens overspel heeft aangeklaagd,
en volgens mij is dat zo, dan heeft Yeslam me niet alleen van
Saoedi-Arabië afgesneden, maar van het hele Midden-Oosten. Ik ben bang om elk islamitisch land dat nauwe betrek-
kingen heeft met Saoedi-Arabië te betreden, omdat ik uitge-
leverd zou kunnen worden. Ik zou overgeleverd zijn aan een
rechtssysteem dat bereid is doodvonnissen uit te voeren tegen
onschuldige vrouwen. Ik vrees voor mijn leven.

Ik ben tot de conclusie gekomen dat het ondergaan van dit
ongelooflijk langdurige echtscheidingsproces de prijs is die ik
voor de vrijheid van mijn dochters moet betalen. Hoewel het
een lange en bittere strijd is, is de prijs niet te hoog voor de
waardevolle wetenschap dat mijn drie dochters nu kunnen leven zoals ze zelf willen.

Yeslams afwijzing van zijn dochters heeft ze enorm pijn gedaan toen ze opgroeiden. Ze betalen nog steeds een hoge
emotionele prijs. Afwijzing – vooral door je vader – is een
zware last voor een meisje. De bewondering en liefde van een
vader zijn zo belangrijk; ik weet daar wel wat van af. Ik heb
zelf het intense verdriet gevoeld en had dezelfde schuldgevoelens als kind toen mijn vader ons verliet. Ook ik heb er
enorm onder geleden, zoals mijn dochters er nu onder lijden.
Ook ik vond dat ik schuld had. Het is vreselijk om te zien dat
mijn dochters nu hetzelfde overkomt.

Ik vraag me nu af of Yeslam zijn dochters wel als mensen

ziet. Mooi, levendig, beleefd, slim, mensen die op hem lijken. Mensen die kwetsbaar zijn. Misschien ziet hij ze echter alleen als pionnen – gereedschap dat hij tegen mij kan gebruiken. Of misschien als vijanden. Misschien vindt hij dat ze zijn aandacht niet waard zijn omdat het westerse vrouwen zijn, wilskrachtig en onafhankelijk. Of is het omdat ze van mij zijn en wij nu vijanden zijn?

Het gevecht om mijn dochters te houden heeft me sterker gemaakt. Het lijkt er echter op dat Yeslam meer veranderd is dan ik. Misschien was mijn echtgenoot altijd al een Saoedi: wreed, op zichzelf gericht, arrogant, minachtend; zijn Saoedische achtergrond kreeg hem in ieder geval vaster in zijn greep naarmate hij ouder werd. Ik was blind voor de dagelijkse werkelijkheid, verliefd en dwaas, ik beeldde me een liefdesgeschiedenis in terwijl er alleen maar een strijd om macht en overheersing aan de gang was. Op het moment dat ik ongehoorzaam was, ging mijn droom in rook op en mijn charmante prins keerde zich tegen mij: het was een Saoedisch sprookje, en mijn kinderen hebben het nu het hardst te verduren.

Wafah en Najia zijn nu volwassen. Noor zal dat ook zijn. Ze zijn mooi, getalenteerd en pienter. Ze nemen hun eigen beslissingen, precies zoals ik altijd voor ogen heb gehad.

Ik denk dat zelfs hun grootvader, sjeik Mohamed, trots op mijn kinderen zou zijn geweest.

We hebben besloten vast te houden aan onze naam, Yeslams naam. Wat er ook gebeurd is tussen ons, Yeslam is hun vader en onze naam is Bin Ladin. Ooit was dat een naam als alle andere. Nu is het een synoniem voor blind geweld en terreur. Natuurlijk zouden we kunnen proberen onze naam te wijzigen, maar mijn dochters en ik hebben niets te verbergen, en we willen niemand misleiden. De waarheid achterhaalt je altijd wel een keer, en een verandering van naam zou niet veranderen wie we zijn.

Als mijn dochters ooit teruggaan naar Saoedi-Arabië, is dat hun eigen vrije keus, net zoals dat voor mij gold, vele jaren geleden. Ik hoop met elke vezel in mijn lichaam dat ze dat nooit zullen doen.

18 Conclusie

Voor velen markeerde 11 september 2001 de ware start van de nieuwe eeuw. Duizenden onschuldige mensen verloren hun leven en talloze andere levens werden onherstelbaar beschadigd. Op die dag werd het Westen wakker geschud en werden de ogen geopend voor een enorm krachtige dreiging waar maar weinigen zich van bewust waren geweest. Voor de eerste keer ondervond men het vermogen van het islamitische fundamentalisme om de grondvesten van het Westen te laten schudden. Osama bin Ladin en zijn volgelingen, wier aantal in de duizenden loopt, waren in staat onze vrijheid te gijzelen.

De aanslag op het World Trade Center beroofde ons van een zekere onbevangenheid. Niemand zal ooit nog in een vliegtuig stappen zonder een zeker gevoel van aarzeling. We zijn niet langer veilig. Niemand kan zich meer echt veilig voelen, en mijn dochters en ikzelf al helemaal niet.

Ik heb geleefd als deel van de familie Bin Ladin. Ik ken de Saoedische gemeenschap. En ik vrees voor de toekomst van ons allen. Mijn angst, mijn woede, is gebaseerd op mijn overtuiging dat de complexe en strak geregisseerde netwerken van de familie Bin Ladin en de Saoedische koninklijke familie nog steeds operationeel zijn.

Ik geloof gewoonweg niet dat de Bin Ladins Osama volledig zouden hebben afgesneden. Evenmin geloof ik dat ze een broer zouden beroven van zijn jaarlijkse dividend van hun vaders bedrijf, en dit onder elkaar verdelen. Dat is ondenkbaar voor een Bin Ladin. Wat een broer ook doet, hij blijft een broer.

Het is tevens mogelijk dat Osama ook nog steeds banden heeft met de koninklijke familie.

De Bin Ladins en de prinsen werken heel nauw samen. Ze vormen een gesloten front. Ze zijn al vele decennia onlosmakelijk met elkaar verbonden, via hechte vriendschappen en zakelijke ondernemingen. De meeste Bin Ladin-broers hebben zakelijke compagnonschappen en directe, gevestigde belangen met minstens één Saoedische prins. Bakr bijvoorbeeld, is zakelijk compagnon van Abdel Aziz ben Fahd, de favoriete zoon van de koning; Yeslam heeft een bevoorrechte relatie met prins Meshal ben Abdel Assiz.

Beide clans willen ons doen geloven dat ze geen enkele connectie hebben met Osama bin Ladin en de barbaarse aanslagen van 11 september. Maar behalve een paar publieke verklaringen waarin de aanslag werd veroordeeld, heeft geen van beide clans ook maar een poging gedaan om te bewijzen dat ze Osama en Al Qaeda geen morele en financiële steun hebben gegeven in het verleden en dat ook nu nog steeds niet doen.

Ik verbaas me erover dat in een land waar geen belastingen bestaan en waar het gebruikelijk en geaccepteerd is om bezittingen – alleen in naam – over te schrijven van de ene broer of zus naar de andere, om de noodzakelijke belangen op dat moment te ondersteunen, dat daar zulke ingewikkelde maatregelen worden genomen om iemands bezittingen te verbergen in een web van lege buitenlandse vennootschappen. Ik daag de heersende Saoedische klasse – de koninklijke familie en de Bin Ladins – openlijk uit om hun boeken te openen en de wereld te tonen waar ze staat. In het huidige precaire politieke klimaat kan niemand het zich veroorloven om zich te verstoppen achter een slap excuus als privacy. Volgens mij is het een ieders plicht om alles te doen wat in zijn macht ligt in het gevecht tegen het terrorisme.

Dit zijn mensen die de buitenwereld verachten. Individueel doen sommigen zich misschien heel liberaal voor, maar de overtuigingen en ideologie van hun cultuur zijn vanaf hun jonge jaren diep in hun geest gekerfd. Ze zijn onontkoombaar.

Saoedi's ruziën niet openlijk met elkaar. Het komt wel eens voor dat machtshonger, hebzucht en materiële belangen de broers in een familie als de al-Sauds of de Bin Ladins tijdelijk uit elkaar drijven. Maar ze komen altijd weer bij elkaar door de band van hun gemeenschappelijke ideeën, hun religieuze overtuiging en hun opvoeding.

Osama bin Ladin en zijn gelijken zijn niet zomaar kant-en-klaar uit het woestijnzand opgesprongen. Ze zijn gemaakt. Ze zijn gevormd door de mechanismen van een ondoorzichtige en onverdraagzame middeleeuwse samenleving, die is afgesloten voor de buitenwereld. Het is een maatschappij waarin de helft van de bevolking van de elementaire mensenrechten is afgesneden en waarin gehoorzaamheid aan de strengste regels van de islam absoluut moet zijn.

Ondanks alle macht van hun olie-inkomsten worden de Saoedi's gevormd door een haatdragende, naar het verleden gerichte kijk op religie en een onderwijssysteem dat een broedplaats is voor onverdraagzaamheid. Ze leren verachting te hebben voor alles wat vreemd is. Niet-moslims tellen niet. Hun moeders verpesten ze zodanig, dat ze arrogant worden. Vervolgens wordt elke natuurlijke neiging die ze hebben, onderdrukt door eindeloze, repressieve beperkingen. Gehoorzaamheid aan de patriarch is absoluut. En wanneer ze zelf vader worden, is hun wil wet.

Als Osama dood is, vrees ik dat er wel duizend man klaarstaan om zijn plaats in te nemen. Saoedi-Arabië is een vruchtbare bodem voor onverdraagzaamheid en arrogantie, en verachting tegenover buitenstaanders. Het is een land waar geen ruimte is voor mildheid, barmhartigheid, medeleven of twijfel. Elk detail in het leven is absoluut vastgelegd. Elke neiging tot natuurlijk genot en emotie is verboden. Saoedi's hebben de onwankelbare overtuiging dat zij gelijk hebben. Ze staan aan het hoofd van de islamitische landen. Ze zijn geboren in het land van Mekka. Hun weg is gekozen door God.

Ik heb nog nooit een Saoedi ontmoet die een oprechte bewondering had voor onze westerse maatschappij. Ze hoeven niet altijd openlijk vijandig te lijken, ook al zijn ze vaak neerbuigend en arrogant. Maar vanbinnen kennen ze slechts verachting voor wat zij beschouwen als de goddeloze, individualistische waarden en schaamteloze vrijheden van het Westen.

En toch komt en drugsmisbruik en promiscuïteit in Saoedi-Arabië veel voor. Er is homoseksualiteit en aids. En er heerst zeker meer hypocrisie dan in enig westers land waar ik ooit ben geweest. Deze zaken worden alleen niet openlijk getoond of openhartig besproken. De Saoedi's lijken van mening te zijn dat wat verborgen is, niet bestaat.

Het volk had best genieën kunnen voortbrengen. Osama

had er misschien een kunnen zijn. Echter, hoewel hij leefde in de eenentwintigste eeuw, gebruikte hij zijn macht en invloed niet om mensen dichter bij elkaar te brengen, om welwillendheid en verdraagzaamheid te bevorderen. In plaats daarvan koos hij strijd en vernietiging.

Uiteindelijk geloof ik dat het de strikte Wahabitische doctrine is, die Osama heeft gevormd. Voorzover ik heb waargenomen en ervaren, deelt een enorme meerderheid van het volk in Saoedi-Arabië zijn gevoelens. In hun ogen kun je niet te godsdienstig zijn. Ze hebben niet de ruimte om te groeien als individu. Ze zijn woedend op het Westen om zijn talloze, onweerstaanbare verleidingen. Ze weigeren zich verder te ontwikkelen, zich aan te passen. Voor hen is het gemakkelijker deze verleidingen de kop in te drukken, te vernietigen, te doden, als een tiener die van het recht pad afwijkt. Ik hoop dat ik ongelijk heb, maar helaas geloof ik dat de fundamentalisten naar wie de Saoedi-Arabische olierijkdommen toestromen, niet zullen wijken. Als we in de westerse wereld niet waakzaam genoeg zijn, vrees ik dat er geen eind zal komen aan hun terrorisme. Ze zullen onze verdraagzaamheid gebruiken om onze gemeenschap te infiltreren met hun onverdraagzaamheid.

In de lange jaren die ik heb doorgebracht in Saoedi-Arabië, en de jaren vol strijd die daarop volgden, heb ik gevochten om te blijven wat ik ben, en mijn dochters te schenken wat van onschatbare waarde is: vrijheid van denken.

Ik hoop dat ik de juiste keuze heb gemaakt. Ik weet niet of het voor hen net zoveel betekent als voor mij. Toen ik jonger was, speelde het voor mij misschien ook niet zo'n belangrijke rol. Maar toen ik voelde dat het van me werd weggenomen, toen ik bang werd dat het me uit de vingers zou glippen, realiseerde ik me dat dit het enige was dat ik niet kon verdragen.

Ik heb zoveel vrouwen gezien die zelfs het recht kwijtraakten hun kinderen te bezoeken, die werden gedwongen zich te onderwerpen aan de wil van hun echtgenoot omdat ze gewoon geen andere keus hadden. En ik heb mannen gezien die werden verscheurd door hun ambities en verlangens enerzijds, en hun bijgebrachte zelfverloochening en gehoorzaamheid aan de tradities van de gemeenschap anderzijds.

Soms vraag ik me af of ik minder weerstand zou hebben geboden tegen de Bin Ladin-clan als ik alleen zonen zou hebben gehad. In materiële zin had ik in vele opzichten een aantrekkelijk bestaan. Hoezeer ik me ook aangetrokken voel tot materiële dingen, er is één ding dat voor mij meer betekent: vrijheid.

Ik ben me ervan bewust dat de machtige Bin Ladin-clan en de gevestigde orde in Saoedi-Arabië mij en mijn dochters de oorlog zullen verklaren omdat ik me durf uit te spreken. Er zullen juridische procedures worden aangespannen, onze integriteit zal worden betwist, onze geloofwaardigheid zal in twijfel worden getrokken. Voor hen is het een misdaad wanneer wij, als vrouwen, streven naar vrijheid van denken en de bescherming van onze elementaire rechten als mens.

Maar we zullen terugvechten. Onze verdediging is de verdediging van de waarheid. Onze sereniteit, ons welzijn, ons meest elementaire gevoel van zekerheid werd vernietigd en begraven op 11 september 2001. Meer dan ooit is het nu het moment om ons uit te spreken en ons te keren tegen de leugens en huichelarij die deze tragedie mogelijk hebben gemaakt, en te proberen onze toekomst veilig te stellen.

Ondanks alles wat we hebben doorgemaakt en wat de toekomst ons ook mag brengen, wil ik mijn dochters laten weten dat ik er nooit spijt van zal hebben dat ik ja zei tegen hun vader. Als jong meisje heb ik hem geaccepteerd en zielsveel van hem gehouden. Jammer genoeg realiseerde ik me als moeder en vrouw dat ik de overtuigingen en waarden die zo'n belangrijk onderdeel van hem uitmaakten, niet kon accepteren. Ik wil mijn dochters laten weten dat ik met heel mijn hart en ziel ervan overtuigd ben dat ik ze, door ze mijn waarden bij te brengen, de kostbaarste gift van alle heb geschonken: vrijheid. Voor mij is geen grotere beloning denkbaar dan in staat te zijn naar mijn prachtige dochters te kijken en te zeggen: 'Wafah, Najia, Noor, het staat jullie vrij het leven te leiden dat jullie zelf willen, en bovendien staat het jullie vrij te zijn wie jullie willen zijn.'

Dankwoord

Ik wil mijn diepe dankbaarheid en liefde betuigen aan:
- mijn dochters Wafah, Najia en Noor; voor hun geweldige moed, kracht en steun tijdens die lange jaren van strijd. Ondanks alle beproevingen die zij hebben moeten doorstaan, zijn ze prachtige vrouwen geworden;
– mijn moeder, die er altijd voor zorgde dat ik me geliefd voelde;
– Mary Martha, die altijd voor me klaarstaat. Haar voorbeeld was en is een geweldige verrijking van mijn leven;
– Thomas, die mijn dochters onvoorwaardelijke steun en liefde gegeven heeft;
– Frédéric Marti, wiens begrip, kennis en vasthoudendheid ervoor gezorgd hebben dat ik mijn dochters kon houden;
– Peter Lilley, die in mij geloofde vanaf het moment dat we elkaar ontmoetten;
– Pierre Alain Schmidt, die de moed had mijn zaak op zich te nemen en me bij te staan op de momenten dat ik mijn hoop verloren had. Als ik nog een kans heb, is dat dankzij hem.
Door aan dit project te werken heb ik twee fantastische mensen leren kennen: Susanna Lea en Ruth Marshall. Hun geduld en steun waren van onschatbare waarde. Ik weet dat zij voor altijd deel uit zullen maken van mijn leven.

Tot slot wil ik mijn speciale gevoelens van liefde en dank uitspreken voor mijn vrienden die er altijd voor me waren, juist ook op de moeilijkste momenten: Sabine en Matthias Kalina; Lois, John en Shelton West; Ula Sebag; Géraldine, Ulrika, Carlos en Guillaume.